Olympia Praha / Šport Bratislava

Oldřich Karásek / Československo

ČESKOSLOVENSKO
ЧЕХОСЛОВАКИЯ
TSCHECHOSLOWAKEI
CZECHOSLOVAKIA
TCHÉCOSLOVAQUIE
CHECOSLOVAQUIA

Oldřich Karásek

Olympia Praha / Šport Bratislava

‹1 Vysoké Tatry, Štrbské pleso   2   3 Hrad Karlštejn

Kolik podob má vlastně tato země?

Příroda jako by soustředila své úsilí na malém území uprostřed Evropy a tisíce let pilně pracovala. Odevzdala nám téměř úplný repertoár krajinných útvarů a typů od vodnatých zelených rovin až po dramaticky rozeklané velehory.

Ani v lidském díle se nic nezanedbalo. Generace stavitelů, kameníků, zedníků i tesařů, řemeslníků i umělců od dláta a štětce vybudovaly v údolích, na rovinách i kopcích města, vsi, hrady, zámky i prostá stavení a spojily je cestami z kamene, asfaltu i železa. Vznosná gotika, monumentální římské baroko, lombardská i toskánská renesance, frivolní rokoko i noblesní empír zdomácněly na našich náměstích i návsích. Nakonec přišly železo a beton, výškové budovy a oblouky mostů. Za tisíc let staly se z lidských sídel podivuhodné srostlice minulosti a přítomnosti a z celé země jakási rezervace krajinná i architektonická.

Přesto však podoba této země není jenom souhrnem krajin, měst, vesnic, hradů a zámků, zeměpisným atlasem ani muzeální sbírkou. Teprve když jsou krajiny osloveny lidskou řečí, teprve když paměť měst a vsí sroste se zkušeností přítomnosti, stane se z nich země, kterou můžeme nazvat jménem. Krajina je obraz duše, říkávali romantikové, a jako by nalezli jeden z klíčů ke vztahu mezi člověkem a zemí. Ke vztahu, v němž jižní Čechy přestanou být pouhou vodnatou zelenou rovinou a Vysoké Tatry velehorskou oblastí a stanou se součástí naší bytosti, naší lidské zkušenosti, našich pocitů i citů. Jako něco, co k nám patří a s čím jsme neodvolatelně spřízněni.

Také Oldřichu Karáskovi je Československo především zemí lidí. Za protagonistu fotografické pouti z Čech až na konec Slovenska si zvolil člověka, který jde, jede, pluje a letí. Člověka v pohybu, jakého nosí ve znaku toto století. Tentokrát ho tedy bude mít ve znaku i tato země. Někdy jako dominantu, jindy jako barevnou pointu typických českých, moravských a slovenských panorámat i motivů městských a krajinářských. Pěší poutník, poutník na kole, na lyžích, v kánoi i na rogalu signalizuje nám přesný čas československé přítomnosti. Tam, kde se s nimi nesetkáme, budou alespoň plápolat jejich barvy. Barvy přítomného času, jimiž Oldřich Karásek maluje obraz své země namísto přitlumených staromistrovských hnědí či náladových barevných mlžin. To aby řeč takových barev osvobodila prastaré siluety měst z nostalgického oparu starobylosti a učinila z nich opět naše současníky. To aby řeč světla rozžila průčelí paláců i katedrál a hradby hradů i útesy sídlišť se přidaly k těm, kteří jdou, jedou, plují a letí.

Už ve svých panorámatech a fotografických obrazech evropských měst a především naší metropole prokázal Oldřich Karásek, že se nestydí za toto století a nemíní ho ukrývat za gotickými či barokními kulisami. Naopak, protože zná tajemství a kouzlo jeho metafor, vkládá je do starobylých ulic i do lesů a hor nehybných monumentalitou přírodní věčnosti a proměňuje je tak v obraz životodárné koexistence věků. Nefotografuje totiž, jen aby popisoval, ale aby nás přesvědčoval o bohatství vnitřních dějů pod povrchem tvarů viditelného světa. Dějů, pohybů a rytmů, které jako by fosforeskovaly v barvách a světlech Karáskových snímků.

Ať se tedy i Československu daří pod praporem rogal na modrém nebi a plachetnic na modré vodě. Ať stobarevná znamení člověka září na jeho erbu.

JOSEF BRUKNER

10 Praha, Malá Strana s chrámem sv. Mikuláše

11 Praha, Hrad   12 Praha, Podolí

21 Praha, Karlův most **22** Praha, pod Barrandovem

23 Zámek Mělník ›24 Středočeská krajina

29 Kutná Hora

30 Hrad Křivoklát

31   32 Hrad Český Šternberk

33 Zámek Hluboká   34 Horusický rybník   ›35 Rybník Velký Tisý

43 Vltava, Čertovy proudy

45 Rybník Dehtář

44 Výlov Rožmberského rybníka

58 Karlovy Vary, jezdecké zátiší   **59** Karlovy Vary, hotel Thermal

61 Cheb, Špalíček

62 Děčín   63 Kamenice u Hřenska   ›64 Pravčická brána

68 Jizerská padesátka   69 Ještěd   ›70 Hrad Hazmburk

71 72 Říp ›73, 74 Nad Českým středohořím

75 Krkonoše, pohled od Dvoraček k jihu

79 Harrachov

86 Velká pardubická

92 Moravský kras, Macocha　93 Telč

94 Českomoravská vrchovina, skansen Veselý Kopec

105 Radhošť od Bumbálky   106, 107 Rožnov pod Radhoštěm, Valašské muzeum v přírodě

114 Zámek Lednice   115 Lednice, park

116 Bratislava, fontána Družby

117 Bratislava, most SNP   118 Bratislava, hotel Kyjev a obchodný dom Prior   ›119 Večerná Bratislava

122 Bratislava, námestie Slobody   123 Bratislava, most SNP s časťou Petržalky

131 Biele Karpaty, Vršatec   132 Hrad Beckov

142 Veľký Rozsutec s časťou Štefanovej   143 Tiesňavy, Mních

144 Oravská vodná nádrž   145 Oravský zámok

146 Vodná nádrž Liptovská Mara s Chočom

148 Veľká Fatra nad Donovalmi

150 Hrebeň Západných Tatier   151 Západné Tatry, kamzíky nad Bystrou

153 Nízke Tatry, južná strana Chopka   154 Nízke Tatry, nad Jasnou

157 Vysoké Tatry, lanovky na Skalnaté Pleso   ›158 Predzimné Vysoké Tatry

159 Vysoké Tatry, zostup z Rysov

160 Vysoké Tatry s cestou Slobody   ›161 Belianske Tatry   162 Belianske Tatry od Ždiaru

163 Tatranské pastorále   164 Dunajec s Tromi korunami

Přední strana přebalu: katedrála sv. Víta, součást Pražského hradu, národní kulturní památky.
Zadná strana prebalu: vysokotatranský Kriváň, 2 494 m, symbolický vrch jednoty Slovanov a slobody Slovákov.

1 VYSOKÉ TATRY Štrbské Pleso (i snímky 156—163).

3 KARLŠTEJN Nejvýznamnější český hrad, založený Karlem IV. k uložení korunovačních klenotů. Vybudován v l. 1348—1357, renesančně přestavěn, nakonec regotizován koncem 19. stol.

4 ČESKÉ STŘEDOHOŘÍ Raná, 457 m. Nápadný, nezalesněný čedičový vrch u Loun láka sportovní nadšence s rogaly (i snímky 73, 74).

5 NÍZKE TATRY Jasná (i snímky 153—155).

6 MÁCHOVO JEZERO Pův. Velký rybník (280 ha), dnes rekreační vodní plocha severních Čech. Váže se k ní nejvýznamnější básnická skladba českého romantismu, Máj K. H. Máchy (1836).

7 VYSOKÉ TATRY Cestou na Kriváň (i snímka na zadnej strane prebalu, ďalej 1, 156—163).

8 JESENICKÁ VODNÍ NÁDRŽ Na ploše 746 ha východně od Chebu slouží potřebám průmyslu, pěstují se tu i vodní sporty.

9 LIPTOVSKÝ MIKULÁŠ Štadión vodných športov.

10 PRAHA Hlavní město Československa a jedna z nejpřitažlivějších evropských metropolí (i snímek na přední straně přebalu, dále 11—22). Její historické čtvrti, především Staré Město s Josefovem, Malá Strana a Hradčany zaujmou 16 uměleckohistorickými objekty a komplexy, jež patří mezi přední národní kulturní památky. — Z desítek dalších památek vyniká např. barokní chrám sv. Mikuláše na Malé Straně, vybudovaný v l. 1704—1755 Kryštofem a Kiliánem I. Dientzenhofery a A. Luragem.

11 PRAŽSKÝ HRAD Zde byli od konce 9. stol. korunováni a zde sídlili čeští panovníci. Největším rozkvětem procházel Hrad v době Karla IV., za Vladislava Jagellonského a za Rudolfa II. Řada úprav a archeologický průzkum se datuje i poválečným obdobím.

12 PRAHA Plavecký stadión v Podolí, vybudovaný v l. 1959—1965, tvoří soustava 3 bazénů, tělocvična, hřiště, pláž ad.

13 PRAHA Národní divadlo bylo budováno z darů a sbírek národa v l. 1868—1883. Po provizórním otevření v r. 1881 vyhořelo, bylo však urychleně obnoveno. R. 1983 byla skončena jeho generální rekonstrukce a vedle historické budovy postavena Nová scéna.

14—17 PRAHA Staroměstské náměstí. V jeho prostoru už od konce 10. stol. vznikalo tržiště, pozdější střed městského osídlení. — Od pol. 14. stol. zde vyrůstal gotický trojlodní Týnský chrám se dvěma 80-metrovými věžemi. — Nejstarší část radničního komplexu pochází z pol. 14. stol., orloj na gotické věži dostal první podobu v r. 1410. — Chrám sv. Mikuláše z l. 1732—1735 stavěl K. I. Dientzenhofer. — Pomník Mistra Jana Husa, upáleného v Kostnici v r. 1415, je dílem L. Šalouna z l. 1902—1915. — Palác Goltz-Kinských z l. 1755—1765, stavěný A. Luragem, slouží jako depozitář grafických sbírek Národní galérie.

18 PRAHA Kouzlo i realita střech.

19 PRAHA Stavba moderního hotelu Forum byla dokončena v r. 1988.

20 PRAHA Štvanice, tenisový dvorec, postavený v l. 1930—1932, byl v poslední době rekonstruován.

21 PRAHA Karlův most, dílo P. Parléře, započaté v r. 1357 a později obohacené souborem plastik F. M. Brokofa, M. B. Brauna ad., spojuje Staré Město s Malou Stranou.

22 PRAHA Pod Barrandovem, jižní městskou částí, pojmenovanou podle francouzského geologa J. Barranda (1799—1883), který zkoumal mj. české prvohory.

23 MĚLNÍK Okresní město severně od Prahy na soutoku řek Labe s Vltavou. Původní knížecí hrad zde stál už koncem 10. stol. Přestavěn zvl. v renesanci i počátkem 18. stol. Expozice českého baroka.

24 STŘEDNÍ ČECHY Krajina.

25 KONOPIŠTĚ Zámek od Růžové zahrady. Dnešní romantickou podobu dostal tento raně gotický hrad koncem 19. stol. Sbírky historických zbraní, anglický park. Růžová zahrada s řadou plastik dovezených z Itálie.

26 KUTNÁ HORA Ve 14. a 15. stol. druhé největší české město (dolování stříbrných rud). Chrám sv. Barbory se stavěl od r. 1388, poslední úpravy a dostavby až na počátku 20. stol. (i snímek 29).

27, 28 STŘEDNÍ ČECHY U Čerčan.

29 KUTNÁ HORA Celkový pohled na dnešní okresní město, jehož jádro tvoří městskou památkovou rezervaci — Vlašský dvůr, Kamenný dům, řada církevních, zvl. barokních staveb (i snímek 26).

30 KŘIVOKLÁT Byl založen v lesích středních Čech počátkem 12. stol. jako dřevěný lovecký hrad českých knížat. Gotickou podobu dostal ve 13. stol., od konce 19. stol. obnovován. Na snímku skupina historického šermu.

31 STŘEDNÍ ČECHY U Konopiště (i snímek 25).

32 ČESKÝ ŠTERNBERK Původně gotický hrad na středním toku Sázavy. Vznikal kolem r. 1240. Vícekrát přestavován. Interiéry mají dobové zařízení. Sbírka rytin z doby třicetileté války.

33 JIŽNÍ ČECHY (i snímky 34—47) Přitahují návštěvníka svými historickými městy, hrady a zámky, ale i typickou rybničnatou krajinou. — Dnešní podoba zámku Hluboká je z r. 1841—1871, tzv. windsorský styl. Zámek má bohaté vnitřní zařízení a knihovnu. V někdejší jízdárně galérie jihočeské gotiky.

34 HORUSICKÝ RYBNÍK Leží u Veselí nad Lužnicí a je třetí největší v Čechách (416 ha), založen byl r. 1511. Část jeho břehů tvoří rašeliniště, dnes přírodní rezervace Ruda.

35 VELKÝ TISÝ Rybník na ploše 317 ha severozápadně od Třeboně byl dokončen r. 1505. Dnes přírodní rezervace, hnízdiště vodního ptactva.

36 VLTAVA Úsek mezi Českým Krumlovem a hradem Rožmberkem (i snímky 40, 42).

37 TÁBOR R. 1420 založil Žižkův husitský lid na ostrohu nad řekou Lužnicí opevněné město, jež v 16. stol. prošlo rozsáhlou renesanční přestavbou. Městská památková rezervace.

38 LIPNO Lipenská přehradní nádrž v okrese Český Krumlov tvoří první stupeň tzv. Vltavské kaskády. Byla vybudována v l. 1950—1959 na ploše téměř 50 km^2, ve výšce 720 m. Podzemní vodní elektrárna. Nádrž se využívá i rekreačně.

39 FRYMBURK Starobylé městečko a rekreační středisko na břehu Lipenské přehradní nádrže. Pozdně gotický kostel byl postaven kolem r. 1530.

40 ČESKÝ KRUMLOV Okresní město a nejvýznamnější jihočeská památková rezervace. Rozlehlý renesanční zámek i velké soubory historických domů (Latrán).

41 ČESKÉ BUDĚJOVICE Krajské město s velkým čtvercovým náměstím a podloubími historických domů. V rohu náměstí 72 m vysoká goticko-renesanční Černá věž z l. 1549–1578. Původně renesanční radnice byla barokně přestavěna v l. 1727–1730; z téže doby je i Samsonova kašna.

42 ROŽMBERK NAD VLTAVOU Hrad s raně gotickou věží Jakobínkou a s pozdějším Dolním hradem. Přestavěn v pol. 19. stol. Dobové interiéry, obrazárna barokních děl.

43 VLTAVA Čertovy proudy, strmá, skalnatá soutěska, dnes většinou bez vody, jež proudí podzemním tunelem k elektrárně nad Vyšším Brodem.

44 JIŽNÍ ČECHY Výlovy rybníků, vybudovaných ve 13.–16. stol., tvoří populární součást jihočeského roku. – Rožmberk (489 ha), největší rybník v Čechách, byl postaven na řece Lužnici.

45 DEHTÁŘ Rybník na ploše 246 ha, severozápadně od Českých Budějovic.

46 JIŽNÍ ČECHY U Tábora (i snímek 37).

47 ORLÍK Královský hrad nad Vltavou ze 13. stol., dnes renesanční zámek, v 19. stol. upravovaný. Hodnotné reprezentační sály ve druhém patře aj.

48 POŠUMAVÍ Šumavské podhůří a zvláště 125 km dlouhé pásmo vlastní Šumavy při hranicích s NSR a Rakouskem patří k nejvyhledávanějším turistickým oblastem Čech (i snímky 49–52).

49 ŠUMAVA Sjezdovka na Špičáku (1 202 m), součást rekreační oblasti kolem Železné Rudy (Černé a Čertovo jezero, Pancíř).

50 ŠUMAVA Vydra, 22 km dlouhá, divoká horská říčka s balvanitým řečištěm, protéká chráněnou přírodní rezervací.

51 ZADOV-CHURÁŇOV Živé středisko zimních sportů, 1 050 m, vhodné zvláště pro lyžařskou turistiku a běh na lyžích.

52 PANCÍŘ Vrch 1 214 m vysoký, severovýchodně od Železné Rudy, s rozhlednou. Turistická chata z r. 1923, sedačková lanovka.

53 KRUŠNÉ HORY 130 km dlouhé horské pásmo Krušných hor tvoří severozápadní hranici Čech s NDR. Lesy jsou zde silně poškozeny průmyslovými exhalacemi. Nejvyšší hora pohoří, Klínovec (1 244 m), je oblíbeným turistickým a lyžařským střediskem.

54 KRUŠNÉ HORY Typický hřbet mezi starým horním městem (dnes lázněmi) Jáchymovem a osadou Abertamy.

55 FRANTIŠKOVY LÁZNĚ Leží v západním výběžku Čech a byly založeny koncem 18. stol. Mají klasicistní dispozice – dnes městská památková rezervace.

56 MARIÁNSKÉ LÁZNĚ Založeny byly v r. 1805, soustřeďuje se sem i odborová rekreace. Zaujme zvláště litinová kolonáda z r. 1889 a Křížový pramen.

57 LOKET Středověká pevnost a někdejší královské město nad řekou Ohří. Hrad připomínán v r. 1239.

58 KARLOVY VARY Jezdecké zátiší v nejvýznamnějších českých lázních, jejichž zakladatelem byl v pol. 14. stol. Karel IV.

59 KARLOVY VARY Největší rozmach lázní, v nichž se léčí zvl. choroby zažívacího ústrojí, spadá do 2. pol. 19. stol. V posledních desetiletích lázně charakterizuje komplex lázeňského domu Thermal (na snímku) a Gagarinova kolonáda.

60 PLZEŇ Radnice v tomto západočeském krajském městě je renesanční (1554–1558), renovovaná počátkem 20. stol.

61 CHEB Ve středověku byl jedním z nejvýznamnějších českých měst. Na náměstí Jiřího z Poděbrad je mj. soubor jedenácti kramářských domů zvaný Špalíček z doby po r. 1400. Jádro města tvoří památkovou rezervaci.

62 DĚČÍN Okresní průmyslové město na Labi nedaleko hranic s NDR. Jeho dominantu tvoří renesančně barokní zámek s Růžovou zahradou. Původně románský hrad Přemyslovců.

63 U HŘENSKA Přírodní krásy tzv. Českosaského Švýcarska přitahovaly turisty už od poč. 19. stol. Patří k nim i soutěsky Kamenice, jejíž nejhezčí partie byly splavněny a překlenuty galeriemi.

64 PRAVČICKÁ BRÁNA Bizarní pískovcový skalní most východně od Hřenska o rozpětí 30 m a výšce 20 m.

65 JABLONEC NAD NISOU Okresní město na jižním okraji Jizerských hor, známé výrobou bižutérie (též muzeum). Sklářské tradice od konce 16. stol.

66 BEDŘICHOV Rekreační středisko, obec se sklářskou tradicí v Jizerských horách (707 m).

67 JIZERSKÉ HORY Motiv z lesů, silně poškozených exhalacemi.

68 JIZERSKÉ HORY Jizerská padesátka – Memoriál expedice Peru. Největší lyžařský závod v republice s účastí kolem 7 000 běžců (muži 50 km, ženy 20 km).

69 JIZERSKÉ HORY Na vrcholu Ještědu (1 012 m), jižně od Liberce, byla počátkem 70. let postavena televizní věž s hotelem.

70 HAZMBURK Trosky gotického hradu při jižním okraji Českého středohoří. Přírodní rezervace, kruhový rozhled.

71 ČESKÉ STŘEDOHOŘÍ Labutě obohatily v posledních desetiletích i zdejší faunu.

72 ŘÍP Legendární hora severně od Prahy, pod níž se podle pověsti usadil se svým lidem praotec Čech. Dominanta polabské nížiny (456 m). Na vrcholu románská rotunda z r. 1126. Od r. 1848 se zde konala řada významných lidových shromáždění.

73, 74 ČESKÉ STŘEDOHOŘÍ Příznivé větrné proudy lákají do kraje moderní Ikary.

75 KRKONOŠE Pohoří na severu Čech, jediný český národní park (i snímky 76–79), dnes vážně ohrožen průmyslovými exhalacemi. – V západní části hraničního hřebene se zachovala původní horská budova Dvoračky s dalekým rozhledem k jihu.

76 KRKONOŠE Zimní hřebeny.

77 KRKONOŠE Pec pod Sněžkou (769 m), horská obec, sportovní středisko ve východní části Krkonoš. Název odvozen od hutí na těžbu rud (16.–19. stol.).

78 KRKONOŠE Špindlerův Mlýn (718 m), horské město, sportovní středisko ve střední části Krkonoš. Hornická osada Sv. Petr se připomíná už na začátku 16. stol. Dnes je zde lyžařský stadión a sjezdovky.

79 KRKONOŠE Harrachov (686 m), horské město, sportovní středisko v západní části pohoří. Známé skokanskými můstky, ale i sklářskými tradicemi.

80 HRADEC KRÁLOVÉ Východočeské krajské město. Na Žižkově náměstí upoutá zvl. gotická katedrála sv. Ducha ze 14. stol. a vedle ní 68 m vysoká Bílá věž, pískovcová goticko-renesanční stavba z konce 16. stol.

81 PODKRKONOŠÍ Lidová architektura. S ucelenějšími soubory lidové architektury se v Čechách setkáme i v podhůří Orlických hor aj.

82 LITOMYŠL Město ve východních Čechách s historicky chráněným jádrem: zaujme zvl. podélné náměstí a renesanční zámek.

83 ČESKÝ RÁJ Trosky, neodmyslitelná součást panorámatu kraje. Zbytky hradu z 2. pol. 14. stol. postaveného na dvou vrcholech čedičové vyvřeliny, Panně a Bábě. Kruhový rozhled.

84 PRACHOVSKÉ SKÁLY Rozlehlé pískovcové skalní město na severovýchodě Čech. Vzniklo erozí pískovcových nánosů někdejšího moře. Pro turisty i horolezce velmi přitažlivé.

85 ROZKOŠ Vodní nádrž (10 km^2) v severovýchodních Čechách, u Náchoda. Slouží závlahám i vodním sportům.

86 PARDUBICE Velká pardubická se jezdí již od r. 1846. Dnes má na 6 900 metrech 39 překážek (mj. pověstný Taxisův příkop). Jedna z nejtěžších dostihových tratí na evropském kontinentě.

87 BRNO Jihomoravské krajské město, průmyslová a kulturní metropole Moravy (i snímky 88–90). – Na vstupním snímku Brněnská vodní nádrž vybudovaná v letech 1936–1941 na řece Svratce.

88 BRNO Brněnské veletržní výstaviště dostalo svou první podobu v r. 1928. Dnes se zde koná řada mezinárodních veletrhů (strojírenský, spotřebního zboží ad.).

89 BRNO Dnešní novogotická podoba chrámu sv. Petra a Pavla na vrchu Petrově pochází z l. 1880–1910.

90 BRNO Náměstí v centru, na němž mj. upoutá barokní kašna Parnas, zhotovená v l. 1693–1695.

91 VÍRSKÁ PŘEHRADNÍ NÁDRŽ Byla vybudována v l. 1947–1957 na Svratce, severozápadně od Brna. Slouží jako zdroj pitné vody.

92 MORAVSKÝ KRAS Macochu, 138 m hlubokou propast, si lze prohlédnout z Horního můstku nebo z krápníkových Punkevních jeskyní, jimiž se návštěvník zčásti plaví na lodičkách.

93 TELČ Náměstí v této městské památkové rezervaci tvoří ojedinělý celek s gotickými, renesančními i barokními domy.

94 ČESKOMORAVSKÁ VRCHOVINA Veselý Kopec, část horské obce Vysočina, tvoří skansen.

95 KROMĚŘÍŽ Okresní město s barokním zámkem, městská památková rezervace. Květná zahrada je raně barokní, řešená ve francouzském slohu. Její soudobá kolonáda má centrální pavilón.

96 NÁMĚŠŤ NAD OSLAVOU Barokně upravený renesanční zámek. V interiérech vzácné tapisérie. Zámecký park má staleté duby.

97 OLOMOUC Okresní moravské město, památková rezervace. Náměstí Míru má starou radnici s orlojem a monumentální barokní sousoší.

98 KOPEČEK Obec severovýchodně od Olomouce, dnes jeho část. Koncem 17. stol. zde byl v dominantní poloze postaven poutní kostel, později upravovaný.

99 JESENÍKY Rozsáhlá horská pásma na severozápadě Moravy (i snímky 100, 102). — Petrovy kameny, zbytky vrcholových skalisek v centrální, nejvyšší hřebenové části. Opředeny pověstmi o rejích čarodějnic.

100 JESENÍKY Údolí Bílé Opavy s řadou peřejí a vodopádů tvoří dnes pozoruhodnou přírodní rezervaci.

101 SEVERNÍ MORAVA Krajina před bouří.

102 JESENÍKY Praděd (1 492 m), nejvyšší vrchol Hrubého Jeseníku a Moravy. Televizní vysílač, rozhledové místo.

103 JAVORNÍKY Jejich souvislý hřeben tvoří část hranice mezi Českou a Slovenskou republikou. Nejvyšší vrchol Javorník (1 071 m).

104 MORAVSKOSLEZSKÉ BESKYDY Členité pohoří na severovýchodě Moravy. Nejvyšší vrchol Lysá hora (1 324 m). — Pustevny (1 018 m) s rázovitými stavbami horských turistických chat.

105 MORAVSKOSLEZSKÉ BESKYDY Panoráma Radhoště (1 129 m) s vrcholovou kaplí sv. Cyrila a Metoděje je zachyceno od horského sedla Bumbalka.

106, 107 ROŽNOV POD RADHOŠTĚM V někdejším rázovitém valašském Rožnově byl v r. 1925 založen významný skansen — Valašské muzeum v přírodě. V městě dnes elektrotechnický průmysl.

108 NAPAJEDLA V tomto středomoravském městě byl už v r. 1882 založen hřebčín, v němž se chovají angličtí plnokrevníci.

109 BUCHLOVICE Jihomoravské městečko s barokním zámkem ze 17. stol., u něhož byl později založen rozlehlý park.

110 MORAVSKÉ SLOVÁCKO Jízda králů. Řada vsí na jihovýchodní Moravě si uchovala vesnické zvyky a bohatý kroj. Největší národopisné slavnosti se konají každoročně ve Strážnici.

111 BÍTOV Opevněný hrad nad dnešní Vranovskou přehradou. Vznikl v 11. stol. a prošel všemi stavebními styly. Dnešní podoba je novogotická.

112 VRANOV Barokní zámek nad řekou Dyjí, vybudovaný jako středověký hrad už na rozmezí 11. a 12. stol. Oválná centrální budova dává podobu tzv. sálu předků.

113 VRANOV Na jižní Moravě se setkáme s několika zachovanými větrnými mlýny, nejčastěji zděného, holandského typu.

114, 115 LEDNICE Dnešní novogotická podoba zámku je z pol. 19. stol. Zámek má bohaté řezby, sbírky zbraní, porcelánu a loveckých trofejí. Zámecký park dostal svou dnešní romantickou podobu s řadou staveb a rybníkem na počátku 19. stol.

116 BRATISLAVA Hlavné mesto Slovenskej republiky, jej politické, hospodárske, kultúrne, školské, vedecké a športové centrum; historické jadro so vzácnymi chránenými objektmi, ktorých je 359, vyhlásili za mestskú pamiatkovú rezerváciu. Za starobylým jadrom vyrástli nové hodnoty: bašty závodov, vežiaky sídlisk, arkády športovísk, moderná tvár modernej národnej metropoly. — Na snímke kaskádovitá fontána Družby na námestí Slobody; jej jadrom je lipový kvet s priemerom 9 m a s hmotnosťou 12 t, stojaci na pilieri uprostred kruhovej nádrže s priemerom 45 m (i snímka 122).

117 BRATISLAVA Oceľový, dvojúrovňový, lanový závesný most Slovenského národného povstania, s jedným šikmým pylónom, ukončeným vyhliadkovou kaviarňou Bystrica.

118 BRATISLAVA Hotel Kyjev a obchodný dom Prior na Kyjevskom námestí vytvára rozsiahly komplex a jedno z hlavných námestí obchodno-spoločenského centra mesta.

119 BRATISLAVA Večerná panoráma s dominantným Hradom, národnou kultúrnou pamiatkou (i snímka 121).

120 BRATISLAVA Z mestského hradbového systému najzachovalejšia je časť okolo Michalskej brány, ktorá vznikla ešte v 14. storočí; patrí k najvýznamnejším reliktom stredovekého mestského opevnenia; vo veži je v súčasnosti umiestnená expozícia Mestského múzea.

121 BRATISLAVA Tak si ju pamätá každý návštevník: s Hradom, dómom sv. Martina, Dunajom a mostom Slovenského národného povstania.

122 BRATISLAVA Námestie Slobody, lemované obdĺžnikom mohutných stavebných blokov, jedného barokového a troch súčasných, s dominantnou fontánou Družby.

123 BRATISLAVA Na pravom brehu Dunaja sa rozprestiera najväčšie bratislavské sídlisko — Petržalka, kde za posledných pätnásť rokov našlo svoj domov takmer 150 000 obyvateľov.

124 DEVÍN Zrúcaniny hradu, národná kultúrna pamiatka nad sútokom Moravy a Dunaja, od doby veľkomoravskej najvýznamnejšia pevnosť na hranici štátu.

125, 126 PIEŠŤANY Areál liečebného domu Balnea Grand na Kúpeľnom ostrove a Kolonádový most v svetoznámom kúpeľnom meste v údolí Váhu na liečbu najmä chorôb pohybovej sústavy.

127 TRENČIANSKE TEPLICE Obliekáreň Hamman v kúpeľnom dome Sina v areáli významných kúpeľov na liečbu najmä chorôb pohybovej sústavy; vystavaná je v maurskom slohu.

128 NITRA Hrad postavený v 11. storočí ako slovanské veľkomoravské hradisko, výsledok stavebnej a umeleckej činnosti niekoľkých storočí; národná kultúrna pamiatka.

129 BOJNICE Zámok, pôvodne hrad listinne doložený r. 1113 ako stredisko kráľovských majetkov na hornej Nitre, začiatkom nášho storočia prestavaný na zámok; národná kultúrna pamiatka.

130 TRENČÍN Hrad, kronikármi spomínaný už v 11. storočí, začiatkom 14. storočia sídlo oligarchu Matúša Čáka Trenčianskeho, ktorý ovládal takmer celé územie Slovenska; národná kultúrna pamiatka.

131 VRŠATEC Zrúcaniny hradu v Bielych Karpatoch, pohorí Vonkajších Západných Karpát na slovensko-moravskom rozhraní; patril do sústavy kráľovských strážnych hradov.

132 BECKOV Zrúcaniny hradu na úpätí Považského Inovca, vybudovaného ako pohraničná pevnosť v 12. storočí, odolal tureckému nájazdu r. 1599; národná kultúrna pamiatka.

133 MARTIN Z areálu múzea ľudovej architektúry v prírode, budovaného na ploche okolo 100 ha; budú v ňom zastúpené všetky regióny Slovenska 240 stavbami.

134 MARTIN Socha symbolizujúca Maticu slovenskú, tradičnú inštitúciu, ktorá sa stala sídlom Národnej knižnice a Ústrednej knižnice, Národnej bibliografie a biografie, opatrovateľkou najcennejších národných kultúrnych zbierok, šíriteľkou národného povedomia a slovenskosti u všetkých Slovákov žijúcich na území Československej republiky i mimo nej.

135 BANSKÁ BYSTRICA Pôvodne slobodné kráľovské a banské mesto, v čase Slovenského národného povstania jeho metropola, v súčasnosti politické, hospodárske a kultúrne centrum Stredoslovenského kraja; historické jadro je mestskou pamiatkovou rezerváciou.

136 ZVOLEN Panoráma mesta so zámkom, vybudovaným v 14. storočí ako kráľovské letné sídlo, v súčasnosti po rekonštrukcii expozičný a depozitný stánok Slovenskej národnej galérie; národná kultúrna pamiatka.

137 BANSKÁ ŠTIAVNICA Malebne rozložené starobylé mesto na svahoch Štiavnických vrchov, významné banské mesto Európy s písomnými dokladmi o ťažbe z r. 1075; historické jadro je mestskou pamiatkovou rezerváciou.

138 KREMNICA Starobylé banské a minciarske mesto terasovite rozložené po svahoch Kremnických vrchov, s dominantným komplexom mestského hradu zo 14.—15. storočia; historické jadro je mestskou pamiatkovou rezerváciou.

139 KRAĽOVANY Sútok Oravy a Váhu pri obci, križovatka ciest do Veľkej a Malej Fatry.

140 TERCHOVÁ Socha legendárneho zbojníka Jura Jánošíka, terchovského rodáka, dominanta tejto významnej národopisnej lokality a strediska cestovného ruchu v severnej časti Malej Fatry.

141—143 VRÁTNA DOLINA Jedna z najkrajších dolín Slovenska, centrum turistiky a lyžiarske stredisko medzinárodného významu v Národnom parku Malá Fatra. — Na snímkach úzky kaňon Tiesňavy, tvoriaci vstup do doliny, Veľký Rozsutec, malebný vrch vypínajúci sa nad horskou osadou Štefanová do výšky 1 610 m n. m., a jeden z bizarných skalných útvarov nazývaný Mních.

144 ORAVA Vodná nádrž na úpätí Oravskej Magury sa rozprestiera na ploche 35 km², dokončená bola ako jedna z prvých veľkých povojnových stavieb r. 1953 a postupne sa stala frekventovanou rekreačnou oblasťou v lete.

145 ORAVA Zámok, týčiaci sa na brale 112 m nad hladinou Oravy; písomne je doložený r. 1267; zaberá tri výškové terasy hradnej skaly spojené hradbovým systémom a baštami, v súčasnosti po rozsiahlej renovácii časť sa upravila na vlastivedné múzeum; národná kultúrna pamiatka.

146, 147 LIPTOVSKÁ MARA Vodná nádrž v kotline pod Západnými Tatrami na rozlohe takmer 27 km² umožňuje lepšie využitie vodnej energie na ďalších 15 vodných elektrárňach na Váhu; na jej severnom brehu vyrástli strediská vodných športov a rekreácie.

148 VEĽKÁ FATRA Z turistického hľadiska patrí medzi najvýznamnejšie pohoria Slovenska, s výbornými zjazdovými terénmi najmä v oblasti horskej obce Donovaly; je chránenou krajinnou oblasťou na rozlohe 606 km^2.

149—151 ZÁPADNÉ TATRY Druhé najvyššie pohorie Československa, vyznačuje sa výrazným kľukatým hrebeňom dlhým 35 km, kde viacero vrcholov presahuje nadmorskú výšku 2 000 m; pohorie je súčasťou Tatranského národného parku. — Na snímkach dve panorámy pohoria, prvá z nich s rázovitou obcou Liptovský Trnovec, a stretnutie s kamzíkom vrchovským tatranským (rupicapra rupicapra tatrica) pod Bystrou, najvyšším vrcholom pohoria — 2 248 m.

152 DEMÄNOVSKÉ JASKYNE Na severnej strane Nízkych Tatier sa rozprestiera najrozsiahlejšia sústava jaskýň v Československu, z ktorých sa stala svetoznámou Demänovská jaskyňa Slobody, na kvapľovú výzdobu najbohatšia. Tvorí ju niekoľkoposchodový labyrint chodieb a dómov v celkovej dĺžke 7 km.

153—155 NÍZKE TATRY Horský krajinný celok, chránené územie vo Fatransko-tatranskej oblasti vyhlásené za národný park na ploche 811 km^2, významné z hľadiska kultúrneho, vedeckého, vodohospodárskeho, zdravotníckeho a osobitne turisticko-rekreačného, s najlepšími lyžiarskymi zjazdovými terénmi v Československu najmä v oblasti Chopka, 2 024 m n. m. — Na snímkach jeho južná strana nad Bystrianskou dolinou a dva pohľady na lyžiarsky raj na severnej strane nad Demänovskou dolinou.

156 VYSOKÉ TATRY Najvyššie pohorie Československa a súčasne najvýznamnejšia oblasť cestovného ruchu v štáte, s vynikajúcimi podmienkami pre vysokohorskú turistiku, horolezectvo, klasické a sčasti aj zjazdové lyžovanie, pre rekreáciu a klimatickú liečbu; chránené územie vyhlásené za národný park na ploche 510 km^2; jediné československé veľhory, s najvyšším vrcholom Gerlachovským štítom, 2 655 m n. m. Na snímke panoráma pohoria s obcou Štrba, východiskom do západnej časti Vysokých Tatier i snímka 161).

157 VYSOKÉ TATRY Kedysi ho volali Dedom a pokladali za najvyšší vrch Tatier. Po sprístupnení visutou lanovkou z Tatranskej Lomnice sa stal Lomnický štít vysoký 2 632 m n. m. najfrekventovanejším tatranským vrcholom.

158, 159 VYSOKÉ TATRY Končiare v očakávaní zimy a zostup z jedného z nich — z Rysov, hraničného československo-poľského vrcholu, 2 499 m n. m.

160, 163 VYSOKÉ TATRY Dva pohľady do rozprávkovej krajiny: cesta Slobody, dôležitá komunikačná tepna spájajúca všetky tatranské osady, a podtatranské pastorále.

161, 162 BELIANSKE TATRY Časť Východných Tatier v sústave Vnútorných Západných Karpát, zaradená do Tatranského národného parku; hlavný hrebeň, najvýraznejšie sa dvíhajúci nad rázovitou obcou Ždiar, je dlhý 14 km a najmalebnejší vo svojej západnej časti s dominujúcou Ždiarskou vidlou, 2 152 m n. m. — Na snímkach podvečerná panoráma pohoria a stred bývalej lazníckej obce Ždiar, v súčasnosti premenenej na turistické ubytovacie stredisko.

164 PIENINY Horský krajinný celok v oblasti Východných Beskýd pretína horská rieka Dunajec, na snímke s útesovými Tromi korunami už na poľskom území, hlavná tepna Pieninského národného parku, chráneného územia na ploche 21 km^2, v dĺžke 17 km tvoriaca československo-poľskú štátnu hranicu.

165 LEVOČA Mesto na úpätí Levočských vrchov, svetoznáme pôsobením rezbárskej dielne Majstra Pavla, ktorého dielo spolu s kostolom sv. Jakuba je národnou kultúrnou pamiatkou; historické jadro bolo vyhlásené za mestskú pamiatkovú rezerváciu.

166 SPIŠSKÉ PODHRADIE Mestečko v Hornádskej kotline, nad ktorým sa vypínajú zrúcaniny Spišského hradu, národnej kultúrnej pamiatky, jedného z najrozsiahlejších hradov strednej Európy a najväčšieho v Československu, písomne doloženého r. 1209; časť mestečka — Spišská Kapitula — je mestskou pamiatkovou rezerváciou.

167 SLOVENSKÝ RAJ Krajinný podcelok Spišsko-gemerského krasu, chránené územie vyhlásené za národný park na ploche 141 km^2; jedinečné a turisticky mimoriadne príťažlivé sú najmä jeho hlboké, úzke kaňony a rokliny, závrty a vyvieračky, planiny a jaskyne, ako aj pestrá flóra a fauna.

168 BARDEJOVSKÉ KÚPELE Známe boli už v 13. storočí. Liečivé a klimatické kúpele sú obkrúžené ihličnanmi Ondavskej vrchoviny; liečia sa tu choroby tráviacej sústavy a dýchacích ciest.

169 SVIDNÍK Mesto — pamätník Karpatsko-dukelskej vojenskej operácie, jednej z najväčších bitiek na území Československa; popri Vojenskom prírodnom múzeu na Dukle, národnej kultúrnej pamiatke, sídli tu aj Múzeum ukrajinskej kultúry.

170 PREŠOV Mesto na úpätí Šarišskej vrchoviny. Snímka je z historického jadra, tvoriaceho mestskú pamiatkovú rezerváciu.

171 ZEMPLÍNSKA ŠÍRAVA Vodná nádrž na úpätí pohoria Vihorlat, rozprestiera sa pri maximálnej hladine na ploche 33,5 km^2; stala sa vyhľadávaným celoštátnym i medzinárodným strediskom letnej rekreácie.

172, 173 KOŠICE Politické, hospodárske, kultúrne, školské a vedecké centrum Východoslovenského kraja, dejisko vyhlásenia programu prvej vlády Národného frontu Čechov a Slovákov v apríli 1945, známeho ako Košický vládny program. — Na snímkach panoráma mesta s novou výstavbou a dóm sv. Alžbety, najväčší chrám a najvýznamnejšie dielo gotického staviteľstva na Slovensku, národná kultúrna pamiatka.

174, 175 KDEKOĽVEK Dva symboly života, jeho krásy i pretrvania.

Чехословакия

ВВЕДЕНИЕ / Сколько подобий имеет собственно эта страна? Как будто бы природа сосредоточила свои усилия на маленькой территории в центре Европы и тысячу лет усердно работала. Предоставила нам почти полный репертуар пейзажных форм и видов, начиная с богатых реками зеленых равнин и кончая драматически расчлененными высокогорными хребтами. Также и в делах рук человеческих ничего не пропущено. Поколения строителей, каменотесов, каменщиков и плотников, ремесленников и художников – мастеров долота и кисти создали в долинах, на равнинах и вершинах города, деревни, крепости, замки и простые строения и соединили их дорогами из камня, асфальта и железа. Устремленная ввысь готика, монументальное римское барокко, ломбардский и тосканский ренессанс, фривольное рококо и аристократический ампир утвердились на площадях наших городов и деревень. Наконец, появились железо и бетон, высотные здания и арки мостов. На протяжении тысячи лет места заселения людей превратились в удивительное соединение прошлого и настоящего и вся страна стала своего рода природным и архитектурным заповедником.

Однако, общий облик этой страны – это не только совокупность пейзажей, городов, деревень, крепостей и замков. Даже не географический атлас или музейная галерея. Лишь после того, когда край озвучен человеческим языком, после того, когда память городов и деревень срастется с опытом настоящего, он станет той страной, которую можно назвать по имени. „Пейзаж – это отражение души,“ – говорили романтики и как будто бы они нашли один из ключей отношений между человеком и землей, когда, к примеру южная Чехия станет не только богатой реками зеленой равниной, а Высокие Татры не только высокогорной областью, но когда они станут составной частью нашего существа, нашего человеческого опыта, наших ощущений и чувств. Чем-то, что нам принадлежит и с чем мы раз и навсегда связаны узами родства.

Также для Олдржиха Карасека является Чехословакия, прежде всего, страной людей. Протагонистом фотографического странствования от Чехии до Словакии он избрал человека, который идет, едет, плывет и летит. Человека в движении, какого носит эмблема этого столетия. На этот раз он будет в эмблеме и этой страны.

Иногда как доминанта, иногда как красочная идея типично чешских, моравских и словацких панорам и городских и пейзажных мотивов. Странник, идущий пешком, или он же на велосипеде, в лодке, на лыжах, или на дельтаплане подает нам сигнал точного времени чехословацкой современности. Там, где мы с ними не встретимся, будут сиять их краски, краски настоящего времени, которыми Олдржих Карасек рисует картины своей страны вместо приглушенных коричневых тонов старых мастеров, или туманных красок, создающих настроение. Для того, чтобы язык этих красок приоткрыл древние силуэты городов от ностальгической дымки древности и превратил их опять в наших современников. Для того, чтобы язык света оживил фронтоны дворцов и кафедральных соборов, а крепостные стены и утесы жилых массивов соединились с теми, которые идут, едут, плывут и летят.

Уже в своих панорамах и фотографических картинах европейских городов и, прежде всего, нашей столицы подтвердил Олдржих Карасек, что он не стыдится за это столетие и не собирается его скрывать за готическими или барочными кулисами. Наоборот, так как ему известна тайна и волшебство метафор, он вносит его в изображение древних улиц, лесов и гор, неподвижных монументальностью природной вечности и превращает его таким образом в картину животворного сосуществования веков. То есть, он не фотографирует лишь для того, чтобы описывать, но для того, чтобы убедить нас в богатстве внутренней истории, скрытой под поверхностью форм видимого мира. Событий, движений и ритмов, которые как бы фосфорисцировали в красках и игре света фотографий Карасека.

Пусть и Чехословакия здравствует под флагом дельтапланов на голубом небе и парусов на голубой воде. Пусть многокрасочные приметы человека сияют в его эмблеме.

ЙОСЕФ БРУКНЕР

ПОЯСНЕНИЯ К ФОТОГРАФИЯМ

Передняя страница обложки: собор св. Вита, составная часть Пражского Града, национального культурного памятника.

Задняя страница обложки: Высокотатранский Кривань, 2 494 м, символическая вершина единства славян и свободы словацкого народа.

1 Высокие Татры, Штрбске плесо (см. тоже 156–163).

2 Цветущий луг

3 Карлштейн, самый важный по своему значению чешский град, основанный Карлом IV с целью хранения коронационных регалий. Град строился в период 1348–1357 гг., перестраивался в стиле ренессанса и в конце XIX века в стиле готическом.

4 Чешское центральное нагорье, Рана (457 м). Бросающийся в глаза базальтовый холм недалеко города Лоуны привлекает спортсменов с дельтапланами (см. также 73, 74).

5 Низкие Татры, Ясна (см. также 153–155).

6 Озеро им. Махи, первоначально Большой пруд (280 га). Сегодня место отдыха северной Чехии. С озером связано выдающееся стихотворное произведение чешского романтизма „Май“ К. Г. Махи (1836 г.).

7 Высокие Татры, дорога на Кривань (см. также заднюю страницу обложки и 1, 156–163).

8 Есеницкое водохранилище (746 га) восточнее города Хеб служит потребностям промышленности, но также водным спортам.

9 Липтовски Микулаш, стадион водных спортов.

10 Прага, столица ЧСР, один из самых привлекательных европейских городов. Ее исторические районы, прежде всего Старый Город, Йосефов, Малая Сторона и Градчаны привлекают внимание 16 историческо-художественными объектами и комплексами, принадлежащими к лучшим национальным культурным памятникам (см. также 11, 13–17, 21). Среди десятков других памятников видное место занимают, например, барочный собор св. Николая на Малой Стороне, построенный в 1704–1755 гг. отцом и сыном Динценгоферами и Лураго.

11 С конца IX века Пражский Град являлся местом коронации чешских правителей и их официальной резиденцией. В период правления Карла IV, Владислава Ягеллона и Рудольфа II происходило самое бурное строительство и развитие Пражского града. Целый ряд реконструкций и археологические раскопки производились также в послевоенное время.

12 Прага, плавательный бассейн в Подоли, построенный в 1959–1965 гг. Комплекс состоит из трех бассейнов, спортивного зала, спортплощадки, пляжа и т. д.

13 Национальный театр был построен на сборы и дароприношения народа в 1868–1883 гг. После открытия в 1881 году он сгорел, однако, его быстро возобновили. В 1983 г. была завершена его генеральная реконструкция и наряду с историческим зданием было построено современное здание „Новая сцена“.

14—17 Прага, Старогородская площадь. С конца X века на этом месте находился рынок, позже площадь стала центром возникающего города. Со второй половины XIV века строится готический трехнефный Тынский собор с двумя 80-метровыми башнями. Самая старинная часть комплекса ратуши происходит с середины XIV века, куранты на готической башни получили свой первый вид в 1410 г. – Костел св. Николая построил в 1732–1735 гг. К. И. Динценгофер. – Автором памятника Яну Гусу, соженному в Констанце в 1415 г. является Л. Шалоун. Памятник построен в 1902–1915 гг. – Дворец Гольц-Кинских, строящийся в 1755–1765 гг. А. Лураго, служит в качестве депозитария графических коллекций Национальной галереи.

18 Крыши пражских домов.

19 Строительство гостиницы „Форум“ завершено в 1988 г.

20 Прага, Штванице, сегодня центральные теннисные корты. Комплекс построен в 1930–1932 гг., в последнее время реконструирован.

21 Карлов мост, произведение архитектора Петра Парлержа, начал строиться в 1357 г. Позже установлены пластики Ф. М. Брокоффа, М. Б. Брауна и т. д. Мост соединяет Старый Город с Малой Стороной.

22 Прага под Баррандовом, южной частью города, названной в честь французского геолога Й. Барранда (1799–1883), который исследовал также Палеозойскую эру в Чехии.

23 Мелник, районный город севернее Праги, стоит на слиянии рек Эльбы и Влтавы. В конце X века был уже построен первоначальный княжеский град, который перестраивался особенно во время ренессанса и в начале XVIII века. В настоящее время в нем находится экспозиция чешского барокко.

24 Среднечешский пейзаж.

25 Конопиште, вид на замок со стороны Розового сада. Этот град, построенный в стиле ранней готики получил сегодняшний романтический вид в конце XIX века. Собрания исторических оружий, английский парк, Розовый сад с рядом пластик привезенных из Италии.

26 Кутна Гора, в XIV и XV веках второй по величине чешский город (добыча серебрянных руд). Собор св. Барборы строился с 1388 г., последние строительные работы завершились в начале XX века (см. также 29).

27, 28 Недалеко Черчан.

29 Кутна Гора, общий вид на сегодняшний районный город, центр которого является городским заповедником (Влашский двор, Каменный дом, ряд церковных особенно барочных строений) (см. также 26).

30 Кршивоклат был основан в лесах средней Чехии в начале XII века как деревянный охотничий замок чешских князей. Готический вид он приобрел в XIII веке, с конца XIX века реконструируется. На снимке группа исторического фехтования.

31 Недалеко Конопиште (см. также 25).

32 Чески Штернберк, первоначально готический град на среднем течении реки Сазавы. Град возник около 1240 г., несколько раз перестраивался. Интерьеры имеют стильную обстановку. Собрания гравюр с времен тридцатилетней войны.

33 Южная Чехия (см. также 34–47) привлекает посетителей своими историческими городами, градами и замками и также пейзажами, для которых типичным элементом являются пруды. – Сегодняшний вид замок Глубока приобрел в 1841–71 гг., т. н. виндзорский стиль. В замке имеется богатая меблировка и библиотека. В бывшем манеже сегодня находится галерея южночешской готики.

34 Горусицкий пруд недалеко Весели над Лужници является третьим самым большим прудом в Чехии (416 га) и был основан в 1511 году. Часть его берегов составляет торфяник, сегодня заповедник Руда.

35 Пруд Велки Тиси (317 га) находится на северозапад от г. Тршебонь. Создание пруда завершено в 1505 г. Сегодня заповедник, место гнездования водяных птиц.

36 Река Влтава между Чешским Крумловом (см. также 42) и градом Рожмберк.

37 Табор. В 1420 году гуситы под руководством Яна Жижки основали на мысе над рекой Лужнице укрепленный город. В XVI веке он перестраивался в стиле ренессанса. Сегодня городской музей-заповедник.

38 Липенское водохранилище в районе Чески Крумлов составляет первую часть т. н. Влтавского каскада (см. также 43). Водохранилище построено в 1950–59 гг., площадь почти в 50 км², находится на высоте 720 м. Подземная гидроэлектростанция, зона отдыха.

39 Фрымбурк – старинный городок и центр отдыха на берегу Липенского водохранилища. Костел в стиле поздней готики построен около 1530 г.

40 Чески Крумлов, районный город и самый значительный южночешский музей-заповедник. Большой замок в стиле ренессанса и также большие комплексы исторических домов (Латран).

41 Ческе Будеёвице, областной город с большой квадратной площадью и аркадами исторических домов. В углу площади находится 72 м высокая Черная башня, построенная в 1549–1578 гг. в стиле готики и ренессанса. Ратуша, первоначально построенная в стиле ренессанса, в 1727–1730 гг. перестроена в стиле барокко; к тому времени относится также фонтан Самсона.

42 Рожмберк над Влтавой, град с башней „Якобинкой“ в стиле ранней готики и с более поздним Долним (Нижним) градом. Град перестраивался в половине XIX века. Интерьер в стиле данной эпохи, картинная галерея произведений барокко.

43 Чертого течение на реке Влтава, крутое, скалистое ущелье, сегодня зачастую без воды, которая течет подземным тоннелем к электростанции над Высшим Бродом.

44 Облов южночешских прудов, построенных в XIII–XVI веках, является популярным событием южночешского года. – Рожмберк (489 га), самый большой пруд в Чехии, построен на реке Лужнице.

45 Пруд „Дегтарж“ (246 га), северозападнее Ческих Будеёвиц.

46 Недалеко города Табор (см. также 37).

47 Орлик над Влтавой, королевский град с XIII века, сегодня замок в стиле ренессанса реконструированный в XIX веке. Исторически ценные залы на третьем этаже и др.

48 Пейзажи в Пошумави. Шумавское предгорье и особенно 125 км длинный массив самой Шумавы при границе с ФРГ и Австрией принадлежат к самым посещаемым туристами областям Чехии (см. также 49–52).

49 Шумава. Спуск на Шпичаке (1202 м) принадлежит к области отдыха около Железной Руды (Чорное и Чертого озера, Панцирж).

50 Шумава, на Выдре. Выдра, 22 км длиная горная речка с каменистым руслом, протекает охраняемым заповедником.

51 Задов-Хураньов (1050 м), центр зимних видов спорта, особенно лыжного туризма и бегов на лыжах.

52 Панцирж (1214 м), холм к северовостоку от Железной Руды с обзорной башней. Турбаза с 1923 г., подвесная канатная дорога.

53 Крушне горы, Клиновец. Горный хребет Крушных гор, длиной в 130 км, составляет северозападную границу Чехии с ГДР. Леса в сильной степени повреждены промышленными газовыделениями. Самая высокая гора – Клиновец (1244 м) является популярным центром туризма и лыжного спорта.

54 Типичный крушногорный хребет между древним горным городом (сегодня курортом) Яхимовом и селением Абертамы.

55 Франтишковы Лазне в западном выступе Чехии основаны в конце XVIII века. Сегодня городской заповедник.

56 В Марианских Лазнях, основанных в 1805 году преобладают профсоюзные дома отдыха. Особое внимание привлекает чугунная колонада с 1889 года и Крестовый источник.

57 Локет, средневековая крепость и бывший королевский город над рекой Огрже. Крепость упоминается уже в 1239 году.

58 Карловы Вары – самый значительный чешский курорт, основоположником которого является Карел IV (середина XIV века). Самое бурное развитие курорта, в котором лечат особенно болезни пищеварительного тракта, относится ко второй половине XIX века.

59 Характерной чертой Карловых Вар последних десятилетий является комплекс лечебницы „Термал“ (на снимке) и колонада им. Гагарина.

60 Пльзень. Ратуша этого западночешского областного города построена в стиле ренессанса (1554–1558), реконструирована в начале XX века.

61 Хеб в средневековье являлся одним из самых важных по своему значению чешских городов. На площади Йиржи из Подебрад находится также ансамбль одиннадцати торговых домов называемый „Шпаличек“, относящийся к периоду после 1400 г. Центр города является музеем-заповедником.

62 Дечин, районный промышленный город на реке Эльбе недалеко границы с ГДР. Доминантом города является замок в стиле ренессанса и барокко с Розовым садом. Первоначально романский град Пршемысловцев.

63 Недалеко Грженска. Красота природы т. н. Ческо-саксонской Швейцарии привлекает туристов уже с начала XIX века. Ущелье реки Каменица – самые красивые участки были приспособлены для сплава и оборудованы галереями.

64 Правчицка брана (ворота) восточнее Грженска является бизарным песчаниковым скалистым мостом высотой в 20 м и пролетем в 30 м.

65 Яблонец над Нисой, районный город в южной части Йизерских гор. Город известен производством бижутерии (имеется также музей). Стекольная традиция с конца XVI века.

66 Бедржихов в Йизерских горах (707 м), центр отдыха, селение со стекольной традицией.

67 Здесь рождается питьевая вода. Мотив из лесов Йизерских гор, значительно поврежденных газовыделениями.

68 50 км Йизерскими горами – гонки в честь погибшей экспедиции альпинистов в Перу. Самые большие лыжные гонки в стране, в которых участвует около 7000 спортсменов-лыжников (мужчины 50 км, женщины 20 км).

69 На вершине Йештеда (1012 м), южнее г. Либерец, была в начале 70. годов построена 100 м высокая телебашня с гостиницей.

70 Газмбурк, руины готического града при южной окраине Ческого среднегорья. Природный заповедник.

71 Лебеди обогатили в последние десятилетия чешскую фауну.

72 Ржип (456 м), легендарная гора севернее Праги, под которой, согласно легенде, стал жить со своим народом праотец Чех. Доминанта полабской низменности. На вершине горы романская ротонда с 1126 г. С 1848 г. здесь происходит целый ряд народных поломничеств и собраний.

73, 74 Над Ческим среднегорьем. Благоприятные воздушные течения привлекают в этот край современных Икариев.

75 Крконоше, горы в северной Чехии, единственный чешский национальный парк (см. также 76–79), сегодня под угрозой промышленных газводпадов. – В западной части пограничного хребта сохранилось горное строение „Дворачки“, откуда прекрасный вид в южную сторону.

76 Хребты Крконош зимой.

77 Пец под Снежкой (769 м), горное селение, спортивный центр в восточной части Крконош. В XVI – XIX веках добыча и обработка руд.

78 Шпиндлерув Млын (718 м), горный городок, спортивный центр в средней части Крконош. Селение горняков Сваты Петр упоминается уже в начале XVI века. Сегодня здесь имеются лыжные спуски и лыжный стадион.

79 Гаррахов (686 м), горный городок, спортивный центр в западной части Крконош. Городок известен своими трамплинами и также стекольной традицией.

80 Градец Кралове, областной город восточной Чехии. На его площади им. Жижки привлекает внимание прежде всего готический собор св. Духа XIV века и рядом с ним 68 м высокая Белая башня, построенная из песчаника в стиле готики и ренессанса в конце XVI века.

81 Народная (фольклорная) архитектура. С ансамблями строений этой архитектуры можно встретиться в Чехии также в Подкрконоши и в предгорье Орлицких гор.

82 Литомышл, город в восточной Чехии с историческим центром-заповедником. Внимание привлекает продольная площадь и замок в стиле ренессанса.

83 Троски, неотделимая часть панорамы Ческого рая. Руины средневековой крепости со второй половины XIV века, построенной на двух вершинах базальтовой горной породы – Панна и Баба.

84 Праховские скалы, большой песчаниковый скалистый город на северовостоке Чехии. Он возник путем эрозии песчанистых наносных отложений бывшего моря. Очень интересная местность для туристов и альпинистов.

85 Розкош, водохранилище (10 км²) в северовосточной Чехии, недалеко города Наход. Водохранилище служит для водных спортов и орошений.

86 Велка пардубицка – первые скачки состоялись уже в 1846 г. На протяжении 6900 м имеется 39 препятствий (также известный овраг Таксиса). Одна из самых трудных скаковых дорог европейского континента.

87 Брно, южноморавский областной город, промышленный и культурный центр Моравии (см. также 88–90). – На первой фотографии Брненское водохранилище.

88 Ярмарка в Брно – свой первый вид она получила в 1928 г. Сегодня здесь состоится целый ряд международных ярмарок (машиностроительная, товаров широкого потребления и т. д.).

89 Брно, Петров. Сегодняшний новоготический вид собора св. Петра и Павла на холме Петров относится к 1880–1910 гг.

90 Брно, площадь в центре города, на которой внимание привлекает фонтан в стиле барокко „Парнас“, построенный в 1693–1695 гг.

91 Вирское водохранилище на реке Сватка северозападнее Брно, построенное в 1947–1957 гг. Источник питьевой воды.

92 Моравский карст, Мацоха. Пропасть глубиной в 138 м можно посмотреть с Верхнего мостика или со сталактитовых Пункевних пещер, которые частично посетитель осматривает с лодок.

93 Телч. Площадь в этом городе-музее представляет редкий комплекс домов построенных в стиле готики, ренессанса и барокко.

94 Ческоморавска врховина. Веселы Копец, часть горного селения Высочина представляет музей под открытым небом.

95 Кромержиж, районный город с замком в стиле барокко, город музей. Сад цветов в стиле раннего барокко- французский стиль. Современная колонада имеет центральный павильон.

96 Намешть над Ославой, первоначально замок в стиле ренессанса, позже перестроен в стиле барокко. В интерьерах ценные тапесерии. Замковый парк со столетними дубами.

97 Оломоуц, районный моравский город-музей. Площадь Мира имеет древнюю ратушу с курантами и монументальную скульптурную группу в стиле барокко.

98 Копечек, селение северовосточнее города Оломоуц, сегодня его часть. В конце XVII века здесь на видном месте построен паломнический костел, позже реконструирован.

99 Йесеники, большой массив гор на северозападе Моравии (см. также 100, 102). – Камни Петра, остатки вершинных скал в центральной, самой высокой части хребта. Камни овеянные повестями о шабаше ведьм.

100 Йесеники. Долина Белой Опавы с порогами и водопадами является интересным природным заповедником.

101 Северная Моравия.

102 Йесеники, Прадед (1492 м), самый высокий пик Грубого Йесеника и Моравии. Телевизионная башня, смотровое место.

103 Зима под Яворниками, хребет которых составляет границу между Чешской и Словацкой республикой. Самая высокая гора Яворник (1071 м).

104 Моравскосилезийские Бескиды, расчлененный горный массив на северовостоке Моравии. Самая высокая гора – Лыса гора (1324 м). – Пустевны (1018 м) с типичными строениями горных туристских баз.

105 Панорама бескидского Радгоштя (1129 м) с часовней св. Кирила и Мефодея со стороны горного седла Бумбалка.

106, 107 Рожнов под Радгоштем, Валашский музей под открытым небом (основан в 1925 году). В городе имеется электротехническая промышленность.

108 Напайедла, коневодческая ферма, основана в 1882 г. для разведения английских чистокровных лошадей.

109 Бухловице. Южноморавский городок с замком XVII века в стиле барокко. Позже при замке основан большой парк.

110 Езда королей верхом в Моравской Словакии. В целом ряде деревень в юговосточной Моравии сохранились привычки и красочные народные костюмы. Самые большие фольклорные торжества ежегодно происходят в г. Стражнице.

111 Битов, укрепленный град над сегодняшним Врановским водохранилищем. Основан в XI веке и постепенно реконструирован во всех архитектурных стилях. Сегодняшний вид новоготический.

112 Вранов, замок в стиле барокко над рекой Дыйе, построенный как средневековый град уже в конце XI и начале XII веков. В центральном здании находится т. н. зал предков.

113 Млын у Вранова. В южной Моравии можно встретить несколько ветряных мельниц, чаще всего кирпичного, голландского типа.

114, 115 Леднице. Сегодняшний новоготический вид замка в Леднеи относится к середине XIX века. В замке богатая резьба, коллекция оружий, фарфора и охотничьих трофеев. Замковый парк получил свой сегодняшний романтический вид с рядом строений и прудом в начале XIX века.

116 Братислава. Столица Словацкой Республики, ее политический, экономический, культурный, научный и спортивный центр; историческое ядро города имеет 359 ценных исторических объектов, оно является музеем-заповедником. Наряду с ним появились и новые объекты заводов, башни жилых домов, спортивные площадки, стадионы, что представляет сегодняшнее лицо современной столицы Словакии. На снимке каскадообразный фонтан Дружба; ядром фонтана является липовый цвет диаметром в 9 м и весом в 12 тон, стоящий в середине круглого водоема диаметром в 45 м.

117 Братислава. Стальной, двухэтажный, канатный подвесной мост Словацкого национального восстания с одним наклонным пилоном, на вершине которого имеется кафе „Быстрица“.

118 Братислава. Гостиница „Киев“ и универмаг „Приор“ на Киевской площади создают большой комплекс и одну из главных площадей торгового центра города.

119 Братислава. Вечернее панорама города с доминантой Града, национальным культурным памятником.

120 Братислава. Из городской системы крепостных стен сохранилась в самом лучшем виде часть около Михалской браны, которая возникла еще в XIV веке; Она принадлежит к самым значительным реликтам средневекового городского укрепления; В башни в настоящее время находится экспозиция Городского музея.

121 Братислава. Так ее помнит каждый посетитель: с Градом, собором св. Мартина, рекой Дунай и мостом Словацкого национального восстания.

122 Братислава. Вид на площадь окаймленную прямоугольником крупных строительных блоков, одного в стиле барокко и трех в современном стиле, с доминантным фонтаном „Дружба."

123 Братислава. На правом берегу Дуная находится самый большой братиславский жилищный массив – Петржалка, где в настоящее время живет около 150 000 жителей.

124 Девин. Руины крепости, национальный культурный памятник над слиянием рек Моравы и Дуная; с времен Великоморавской державы самая важная крепость на границе государства.

125, 126 Пиештяны. Территория санатория Балнеа Гранд на Купельном острове и Колонадный мост во всемирно известном курорте в долине реки Ваг, в котором лечат прежде всего от болезней двигательного аппарата.

127 Тренчианске Теплице. Раздевалка Гамман в санатории Сина на территории курорта в массиве Стражовске врхи; в курорте лечат прежде всего от болезней двигательного аппарата.

128 Нитра. Град построенный в XI веке как словянское великоморавское городище; результат строительной и художественной деятельности нескольких столетий, национальный культурный памятник.

129 Бойнице. Замок, первоначально град, упоминавшийся уже в 1113 г. как центр королевских имений в Верхней Нитре; в начале нашего века перестроен на замок, национальный культурный памятник.

130 Тренчин. Град, летописцами упоминавшийся уже в XI веке, в начале XIV века местом пребывания олигарха Матуша Чака Тренчианского, который владел почти всей Словакией, национальный культурный памятник.

131 Вршатец. Руины града в Белых Карпатах на словацко-моравской границе. Град являлся частью системы королевских сторожевых градов.

132 Бецков. Руины града у подножия Поважского Иновца, построенного как пограничная крепость в XII веке; град выдержал турецкие наезды в 1599 г., национальный культурный памятник.

133 Мартин. Часть территории музея народной архитектуры под открытым небом, строящегося на площади около 100 га; 240 строений в нем будет представлять все регионы Словакии.

134 Мартин. Статуя представляющая Матицу словацкую, традиционный институт, который становится местом Национальной и Центральной библиотек, Национальной библиографии и биографии, хранилищем самых ценных национальных культурных собраний; местонахождение на Гостигоре.

135 Банска Быстрица. Первоначально свободный королевский и шахтерский город, во время Словацкого национального восстания его центр, в настоящее время политический, экономический и культурный центр Среднесловацкой области; историческое ядро является городским музеем-заповедником.

136 Зволен. Вид на город с замком, построенным в XIV веке как королевская летняя резиденция, в настоящее время после реконструкции депозитарий Словацкой национальной галереи, национальный культурный памятник.

137 Банска Штиавница. Живописный древний город на склонах массива Штиавницке врхи, крупный шахтерский город Европы с письменными документами 1075 г. о добыче руд; историческое ядро является городским заповедником.

138 Кремница. Древний шахтерский и монетный город расположенный террасами на склонах Кремницких врхов с доминантным комплексом городского града XIV—XV веков; историческое ядро является городским музеем-заповедником.

139 Кралованы. Слияние рек Орава и Ваг у этого городка, который является перекрестком дорог в Великую и Малую Фатру.

140 Терхова. Статуя легендарного разбойника Юра Яношика, родившегося в Терховой, доминанта этой известной фольклорной местности и центра туризма в северной части Малой Фатры.

141–143 Вратна долина. Одна из самых красивых долин Словакии, центр туризма и лыжного спорта международного значения в Национальном парке Мала Фатра. На снимках узкий каньон Тиеснявы, создающий вход в долину, Велки Росутец, живописная гора над горным селением Штефанова высотой в 1610 м и один из бизарных скалистых обликов прозванный „Мних" (Монах).

144 Орава. Водохранилище у подножия Оравской Магуры площадью в 35 км²; строительство водохранилища завершено в 1953 г. как одно из первых больших послевоенных строек. Летом идеальная область отдыха.

145 Орава. Замок, национальный культурный памятник, возвышающийся на скале высотой 112 м над уровнем реки Орава; упоминается в письменностях 1267 г. Замок находится на трех террасах скалы соединенных системой крепостных стен и бастионов; в настоящее время после значительной реконструкции часть замка служит как краеведческий музей.

146, 147 Липтовска Мара. Водохранилище в котловине под Западными Татрами площадью почти в 27 км². Водохранилище позволяет лучше использовать водную энергию в последующих 15 гидроэлектростанциях на реке Ваг; на северном берегу имеются базы для водных спортов и отдыха.

148 Велька Фатра. С точки зрения туризма принадлежит к самым значительным горным массивам Словакии с отличными лыжными спусками особенно в области горной деревушки Доновалы; Велька Фатра является охраняемой природной областью (606 км²).

149–151 Западные Татры. Второй по высоте горный массив Чехословакии отличается выразительным зигзагообразным хребтом длиной в 35 км, где несколько пиков превышает высоту 2 000 м; Западные Татры являются частью Татранского национального парка. На снимках два вида массива (первый со своеобразным селением Липтовски Трновец) и встреча с серной татранской (Rupicapra rupicapra tatrica) под Быстрой, самой высокой горой массива – 2 248 м.

152 Деменовские пещеры. На северной стороне Низких Татр расположена самая большая система пещер в Чехословакии; всемирно известная пещера Свободы, самая богатая украшениями сталактитов. Составляет ее несколькоэтажный лабиринт коридоров и „соборов" общей длиной в 7 км.

153–155 Низкие Татры. Национальный парк (811 км²) в Фатранско-татранской области, знаменательный с точки зрения культуры, науки, водного хозяйства, здравоохранения, и прежде всего туризма и отдыха, с лучшими лыжными спусками в Чехословакии особенно в области Хопока, 2 024 м. На снимках его южная сторона над Быстрянской долиной и два вида на рай для лыжников на северной стороне над Деменовской долиной.

156 Высокие Татры. Самый высокий горный массив Чехословакии и одновременно самая важная по своему значению область туризма с отличными условиями для высокогорного туризма, альпинизма, всех видов лыжного спорта, для отдыха и климатического лечения; территория Высоких Татр является национальным заповедником, 510 км²; единственное чехословацкое высокогорье с самой высокой горой страны Герлаховским пиком, 2 655 м. На снимке общий вид массива с деревней Штрба, „входом" в западную часть Высоких Татр.

157 Высокие Татры. Раньше его называли Дедом и считали его самой высокой горой Татр. После того, как была построена подвесная канатная дорога из Татранской Ломницы, Ломницкий пик высотой в 2 632 м превратился в самый посещаемый пик Высоких Татр.

158, 159 Высокие Татры. Вершины гор в ожидании зимы. Спуск с пика Рысы, пограничного чехословацко-польского пика, 2 499 м.

160, 163 Высокие Татры. Два вида на сказочный пейзаж: дорога Свободы, соединяющая все татранские селения и подтатранский пастораль.

161, 162 Белианские Татры. Часть Восточных Татр в системе Внутренних Западных Карпат, включена в Татранский национальный парк; основной хребет ярко возвышающийся над своеобразным селением Ждиар тянется 14 км; западная часть хребта с доминантной горой Ждиарская видла, 2 152 м, является самой живописной. На снимках массив в сумерках и центр деревни Ждиар, в настоящее время самый большой жилой центр для туристов.

164 Пиенины. Горный природный комплекс в области Восточных Бескид, через который протекает горная река Дунаец; на снимке утесы Три короны уже на территории Польши; Дунаец является основной рекой Пиенинского национального парка на площади 21 км², который на протяжении 17 км составляет чехословацко-польскую государственную границу.

165 Левоча. Город у подножия Левочских врхов всемирно известный работами резчика Мастера Павла. Его работы и костел св. Якова являются национальным культурным памятником; историческое ядро города является городским музеем-заповедником.

166 Спишске Подградие. Городок в Горнадской котловине, над которым возвышаются руины Спишского града, национального культурного памятника, одного из самых больших градов средней Европы и самого большого в Чехословакии, упоминавшегося в письменностях от 1209 г.; часть городка – Спишска Капитула – является городским музеем-заповедником.

167 Словацкий рай. Часть Спишско-гемерского карста; национальный парк площадью в 141 км^2; своеобразными и привлекательными для туристов являются его глубокие и узкие каньоны и ущеля, пещеры и плоскогорье, и также пестрая флора и фауна.

168 Курорт Бардеёвске Купеле. Известным он был уже в XIII веке. Курорт окружен елами Ондавской врховины; в них лечат от болезней пищеварительного тракта и дыхательных путей.

169 Свидник. Город-памятник Карпатско-дукельской военной операции, одного из самых больших сражений на территории Чехословакии; наряду с Военным музеем под открытым небом, национальным культурным памятником, имеется здесь также Музей украинской культуры.

170 Прешов. Город у подножия Шаришской врховины, в котором была провозглашена Словацкая республика советов в 1919 г., первого государства диктатуры пролетариата на территории Чехословакии. На снимке исторический центр, музей-заповедник.

171 Земплинска ширава. Водохранилище у подножия горного массива Вигорлат; максимальная площадь водохранилища 33,5 км^2; оно стало известным и популярным в нашей стране и за границей центром летнего отдыха.

172, 173 Кошице. Политический, экономический, культурный и научный центр Восточнословацкой области, город, в котором была объявлена программа первого правительства Национального фронта чехов и словаков в апреле 1945 г. известная под названием Кошицкая правительственная программа. На снимках общий вид города с новыми жилыми массивами и собор св. Елизаветы, самый большой собор и самое выдающееся произведение готической архитектуры в Словакии, национальный культурный памятник.

174, 175 Два символа жизни, ее красоты и продолжительности.

Die Tschechoslowakei

EINLEITUNG / Wie viele unterschiedliche Formen findet man eigentlich in diesem Land?

Es ist so, als ob die Natur ihr gesamtes Bemühen auf dieses kleine Land im Herzen Europas konzentriert und Tausende von Jahren hier fleißig gearbeitet hätte. Sie hat uns hier ein fast vollständiges Repertoir von Landschaftsformationen und -typen übergeben, von wasserreichen grünen Ebenen bis zu dramatisch zerklüfteten Hochgebirgen.

Aber auch auf dem Gebiet des menschlichen Schaffens wurde nichts vernachlässigt. Generationen von Baumeistern, Steinmetzen, Maurern und Zimmerleuten, von Handwerkern und Künstlern des Meißels und des Pinsels erbauten in Tälern, auf Ebenen und in den Bergen Städte, Dörfer, Burgen, Schlösser und ganz gewöhnliche Bauernhäuser, und verbanden sie mit Wegen aus Stein, Asphalt und Eisen. Die hochstrebende Gotik, das monumentale römische Barock, die lombardische und toskanische Renaissance, das frivole Rokoko und das vornehme Empire haben sich auf unseren städtischen Marktplätzen und auf den Dorfplätzen eingebürgert. Und zuletzt traten Eisen und Beton, Hochhäuser und Brückenbögen ihre Herrschaft an. Im Verlauf von tausend Jahren sind die menschlichen Siedlungen zu bewundernswerten Gebilden der Vergangenheit und Gegenwart zusammengewachsen und das ganze Land wurde gleichermaßen zu einem einzigen Natur- und Denkmalschutzgebiet. Das Antlitz dieses Landes ist dennoch nicht nur die Summe von Landschaften, Städten, Dörfern, Burgen und Schlössern. Auch kein geographischer Atlas oder eine museale Sammlung. Erst dann, wenn in einer Landschaft das menschliche Wort ertönt, erst dann, wenn das Gedächtnis der Städte mit der Erfahrung der Gegenwart verwächst, erst dann entsteht aus ihr ein Land, das einen Namen tragen kann.

„Die Landschaft ist das Ebenbild der Seele" sagten die Romantiker, und sie haben so einen der Schlüssel zur Beziehung zwischen dem Menschen und einem Stück Erde gefunden. Zu einer Beziehung, die bewirkt, daß Südböhmen nicht mehr eine bloße wasserreiche, grüne Ebene und die Hohe Tatra nicht nur eine Hochgebirgslandschaft ist, und zum Bestandteil unseres Wesens, unserer menschlichen Erfahrungen, unserer Regungen und Gefühle wird. Zu etwas, das uns gehört und mit dem wir unwiderruflich verbunden sind.

Auch für Oldřich Karásek ist die Tschechoslowakei vor allem ein Land des Menschen. Als Protagonisten seiner fotografischen Wallfahrt aus Böhmen bis ans Ostende der Slowakei erkor er den Menschen, der geht, fährt und fliegt. Den sich in ständiger Bewegung befindlichen Menschen, wie ihn dieses Jahrhundert in seinem Wappen trägt. Diesmal wird ihn unser Land in seinem Wappen haben. Manchmal als Dominante, ein andermal als farbenprächtige Pointe typisch böhmischer, mährischer und slowakischer, städtischer und landschaftlicher Panoramen und Motive. Zu Fuß, auf dem Fahrrad, auf Skiern und als Drachenflieger signalisiert er uns die exakte Zeit der tschechoslowakischen Gegenwart. Überall dort, wo wir dem Menschen begegnen werden, werden uns seine Farben in ihren Bann schlagen. Die Farben der Gegenwart, mit denen Oldřich Karásek das Bild seines Landes malt, anstelle des gedämpften Brauns der alten Meister oder der stimmungsvollen farbigen Nebelstreifen. Die Sprache dieser Farben befreit die uralten Silhouetten der Städte vom nostalgischen Dunst der Altehrwürdigkeit und macht sie zu unseren Zeitgenossen. Die Sprache des Lichts soll die Fronten der Paläste und Kathedralen anstrahlen, und die Mauern der Burgen und die Klippen der Siedlungen sollen sich zu denen gesellen, die gehen, fahren und fliegen.

Bereits in seinen Panoramen und fotografischen Gemälden europäischer Städte und vor allem unserer Hauptstadt hat Oldřich Karásek bewiesen, daß er sich für dieses Jahrhundert nicht schämt und daß er nicht die Absicht hat, es hinter gotischen oder barocken Kulissen zu verbergen. Ganz im Gegenteil: weil er nämlich das Geheimnis und den Zauber seiner Metapher kennt, trägt er es in die altehrwürdigen Gäßchen und in die Wälder und Berge mit ihrer erstarrten Monumentalität der Unvergänglichkeit der Natur hinein, und schafft damit ein Bild der lebensspendenden Koexistenz der Zeiten. Er fotografiert nämlich nicht, um nur zu beschreiben, sondern um uns vom Reichtum der inneren Prozesse, die sich unter der Oberfläche der Formen der sichtbaren Welt abspielen, zu überzeugen. Es ist, als ob in den Farben und Lichtern der Aufnahmen Karáseks Prozesse, Bewegungen und Rhythmen phosphoreszierten.

Möge deshalb auch die Tschechoslowakei unter der Flagge der Drachenflieger am blauen Himmel und der Segel auf dem blauen Wasser in diesem Band erblühen und das hundertfarbige Wahrzeichen des Menschen in ihrem Wappen erglühen.

JOSEF BRUKNER

ERKLÄRUNGEN ZU DEN AUFNAHMEN

Vorderseite des Umschlags: St.-Veits-Kathedrale, gehört zum Nationalen Kulturdenkmal der Prager Burg.

Rückseite des Umschlags: der 2494 m hohe Berg Kriváň in der Hohen Tatra, das Symbol der Einheit der Slawen und der Freiheit der Slowaken.

1 Hohe Tatra, Štrbské Pleso (siehe auch 156—163)

2 Blühende Wiese

3 Karlštejn, die bedeutendste böhmische Burg, gegründet von Karl IV. zur Unterbringung der Krönungskleinodien. Erbaut in den Jahren 1348—1357, später im Renaissancestil umgebaut, schließlich im 19. Jahrhundert regotisiert.

4 Böhmisches Mittelgebirge, Raná (457 m). Der auffallende, unbewaldete Basaltberg bei Louny ist ein Anziehungspunkt für die begeisterten Drachenflieger (siehe auch 73, 74).

5 Niedere Tatra, Jasná (siehe auch 153—155).

6 Mácha-See, ursprünglich der Große Teich (280 ha). Heute Erholungs-Wasserfläche in Nordböhmen. Verknüpft mit dem bedeutendsten Werk der Poesie der tschechischen Romantik, dem Máj (Mai) von K. H. Mácha (1836).

7 Hohe Tatra, Weg auf den Berg Kriváň (siehe auch Rückseite des Umschlags und 1, 156—163).

8 Staubecken Jesenická vodní nádrž (746 ha) östlich von Cheb. Dient nicht nur industriellen Zwecken, sondern auch den Wassersportlern.

9 Liptovský Mikuláš, Wassersport-Stadion.

10 Prag, Hauptstadt der ČSR und eine der anziehendsten Metropolen Europas. Ihre historischen Viertel, vor allem die Altstadt mit dem Stadtteil Josefov, die Kleinseite (Malá Strana) und der Hradschin (Hradčany), bieten 16 kunsthistorische Objekte und Komplexe, die zu den bedeutendsten Nationalen Kunstdenkmälern gehören (siehe auch 11, 13—17, 21). — Unter den weiteren Dutzenden von Denkwürdigkeiten ragt z.B. die in den Jahren 1704—1755 von K. und K. I. Dientzenhofer erbaute St.-Nikolaus-Kirche auf der Kleinseite hervor.

11 Auf der Prager Burg wurden von Ende des 9. Jahrhunderts an die böhmischen Herrscher gekrönt und hatten hier auch ihren Sitz. Die größte Blütezeit erlebte die Burg zur Zeit Karls IV., Vladimír Jagiellos und unter Rudolf II. Eine Reihe von Umgestaltungen und archäologischer Forschungsarbeiten datiert auch aus der Nachkriegszeit.

12 Prag. Das Schwimmstadion (errichtet 1959—1965) besteht aus einem Komplex von 3 Bassins, einer Turnhalle, Spielplätzen, einem Strand u.a.m.

13 Das Nationaltheater wurde aus Geschenken und Sammlungen der ganzen Nation in den Jahren 1868—1883 erbaut. Nach seiner provisorischen Eröffnung im Jahr 1881 fiel es einem Brand zum Opfer, wurde jedoch rasch wieder erneuert. Im Jahr 1983 wurde seine Generalrekonstruktion beendet und neben dem historischen Gebäude wurde die Neue Szene erbaut.

14—17 Prag, Altstädter Ring. In diesem Raum entstand bereits gegen Ende des 10. Jahrhunderts eine Marktstätte, die der Mittelpunkt der späteren städtischen Besiedlung wurde. — Von der Mitte des 14. Jahrhunderts an wuchs hier das gotische Dreischiff der Teinkirche mit ihren beiden 80 m hohen Türmen auf. — Der älteste Teil des Altstädter Rathauskomplexes stammt aus der Mitte des 14. Jahrhunderts, die astronomische Uhr des gotischen Turms erhielt ihr erstes Aussehen im Jahr 1410. — Die St.-Nikolaus-Kirche aus den Jahren 1732—1735 erbaute K. I. Dientzenhofer. — Das Denkmal des im Jahr 1415 in Konstanz auf dem Scheiterhaufen verbrannten Magisters Jan Hus ist ein Werk L. Šalouns aus den Jahren 1902—1915. — Der Goltz-Kinský-Palast aus den Jahren 1755—1765, ein Werk A. Luragos, dient als Depositorium der graphischen Sammlungen der Nationalgalerie.

18 Prager Dächer.

19 Der Bau des modernen Hotels Forum wurde im Jahr 1988 beendet.

20 Prag, Insel Štvanice, der ursprünglich in den Jahren 1930–1932 errichtete zentrale Tennisspielsplatz wurde vor kurzem rekonstruiert.

21 Die Karlsbrücke, ein im Jahr 1357 baulich in Angriff genommenes Werk Peter Parlers, das später durch eine Reihe von Plastiken F. M. Brokoffs, M. B. Brauns u. w. bereichert wurde, verbindet die Prager Altstadt mit der Kleinseite.

22 Prag unterhalb des Barrandov, eines südlichen Stadtviertels, das nach dem französischen Geologen J. Barrande (1799–1883) benannt wurde, der u. a. das böhmische Paläozoikum erforschte.

23 Mělník, Kreisstadt nördlich von Prag am Zusammenfluß der Elbe (Labe) und der Moldau (Vltava). Eine ursprüngliche Fürstenburg stand hier bereits Ende des 10. Jahrhunderts. Sie wurde vor allem in der Renaissance und auch zu Beginn des 18. Jahrhunderts umgebaut und beherbergt eine Ausstellung der böhmischen Barockkunst.

24 Mittelböhmische Landschaft.

25 Konopiště, Blick zum Schloß vom Rosengarten. Ihr heutiges romantisches Antlitz erhielt die frühgotische Burg Ende des 19. Jahrhunderts. Sammlungen historischer Waffen, englischer Park. Rosengarten mit einer Reihe von aus Italien hierher übertragenen Plastiken.

26 Kutná Hora, im 14. und 15. Jahrhundert die zweitgrößte Stadt Böhmens (Silbererzförderung). Baubeginn der St.-Barbara-Kathedrale im Jahr 1398, die letzten Umgestaltungen und Baubeendigung erst zu Beginn des 20. Jahrhunderts (siehe auch 29).

27, 28 Aufnahmen aus der Nähe von Čerčany.

29 Kutná Hora, Gesamtansicht der heutigen Kreisstadt, deren Kern eine städtische Denkmalschutzreservation bildet (Welscher Hof, das sog. Steinhaus, eine Reihe von sakralen, vor allem barocken Bauwerken (siehe auch 26).

30 Křivoklát wurde in den zentralböhmischen Wäldern zu Beginn des 12. Jahrhunderts als hölzerne Jagdburg der böhmischen Fürsten gegründet. Ihr gotisches Aussehen erhielt sie im 13. Jahrhundert, vom Ende des 19. Jahrhunderts wurde sie renoviert. Die Aufnahme zeigt eine Gruppe, die sich mit der historischen Fechtkunst befaßt.

31 In der Nähe von Konopiště (siehe auch 25).

32 Český Šternberk, ursprünglich eine gotische Burg am Mittellauf des Flusses Sázava, gegründet um 1240. Mehrmals umgebaut. Zeitgemäß eingerichtete Interieure. Sammlung von Stichen aus der Zeit des Dreißigjährigen Kriegs.

33 Südböhmen (siehe auch 34–47) zieht seine Besucher nicht nur mit seinen historischen Städten, Burgen und Schlössern, sondern auch mit seiner typischen teichreichen Landschaft an. – Das heutige Aussehen des Schlosses Hluboká im sog. Windsor-Stil stammt aus den Jahren 1841–1847. Das Schloß hat eine reiche Inneneinrichtung und eine Bibliothek. In seiner ehemaligen Reitschule ist eine Galerie der südböhmischen Gotik.

34 Der Teich Horusický rybník bei Veselí nad Lužnicí ist der drittgrößte Böhmens (416 ha); er wurde im Jahr 1511 angelegt. Einen Teil seiner Uferpartien bilden Torfmoore, die heute im Naturschutzgebiet Ruda zusammengefaßt sind.

35 Die Baubeendigung des Teichs Velký Tisý (317 ha) nordwestlich von Třeboň fällt in das Jahr 1505. Heute Naturschutzgebiet. Niststätte von Wasservögeln.

36 Der Fluß Vltava (Moldau) zwischen Český Krumlov (siehe auch 42) und der Burg Rožmberk.

37 Tábor. Im Jahr 1420 gründete das Hussitenvolk des Heerführers Žižka auf einem Felsvorsprung über dem Fluß Lužnice eine befestigte Stadt, die im 16. Jahrhundert großzügig im Renaissancestil umgebaut wurde. Städtische Denkmalschutzreservation.

38 Der Staudamm Lipno im Kreis Český Krumlov bildet die erste Stufe der sog. Moldau-Kaskade (siehe auch 43). Er wurde in den Jahren 1950–1959 erbaut, der Stausee in einer Seehöhe von 720 m nimmt eine Fläche von fast 50 km² ein. Unterirdisches Kraftwerk. Der Stausee dient auch zu Erholungszwecken.

39 Frymburk ist ein altes Städtchen und nunmehr auch Erholungszentrum am Ufer der Stausees von Lipno. Die spätgotische Kirche wurde um das Jahr 1530 erbaut.

40 Český Krumlov, Kreisstadt und bedeutendste südböhmische Denkmalschutzreservation. Ausgedehntes Renaissanceschloß; großer Komplex historischer Häuser (Latrán).

41 České Budějovice, Bezirksstadt mit einem großen quadratischen Marktplatz, den historische Häuser mit Laubengängen säumen. In einer Ecke des Platzes steht der 72 m hohe Schwarze Turm (Gotik-Renaissance) aus den Jahren 1549–1578. Das ursprünglich im Renaissancestil erbaute Rathaus wurde in den Jahren 1727–1730 im Barockstil umgebaut; aus derselben Zeit stammt auch der Samson-Brunnen in der Mitte des Marktplatzes.

42 Rožmberk nad Vltavou, Burg mit einem Jakobínka genannten frühgotischen Turm und der späteren sog. Unteren Burg. Umbau in der Mitte des 19. Jahrhunderts. Zeitgemäße Interieure, Gemäldegalerie mit barocken Werken.

43 Die Teufelsschnellen am Fluß Vltava, ein steiler, felsiger Engpaß, sind meistens ohne Wasser, das durch einen unterirdischen Tunnel in ein Kraftwerk oberhalb von Vyšší Brod abgeleitet wird.

44 Das Abfischen der südböhmischen, im 13.–16. Jahrhundert angelegten Teiche, ist eine populäre Begebenheit im Verlauf des südböhmischen Jahrs. – Der Rožmberk (489 ha), der größte Teich Böhmens, wurde am Fluß Lužnice angelegt.

45 Der Teich Dehtář (246 ha) nordwestlich von České Budějovice.

46 In der Nähe von Tábor (siehe auch 37).

47 Orlík nad Vltavou, eine königliche Burg aus dem 13. Jahrhundert, ist heute ein im 19. Jahrhundert umgestaltetes Renaissanceschloß. Wertvolle Repräsentationsräume im zweiten Stockwerk u.w.

48 Landschaft im Böhmerwaldvorland. Dieses Vorland und dann vor allem der 125 km lange eigentliche Böhmerwald entlang der Grenze zur BRD und zu Österreich gehören zu den beliebtesten und aufgesuchtesten Regionen der Touristik in Böhmen (siehe auch 49–52).

49 Böhmerwald. Die Abfahrtspiste auf dem Berg Špičák gehört zum Erholungsgebiet um Železná Ruda (der Schwarze und der Teufelssee, der Berg Pancíř).

50 Böhmerwald. Am Fluß Vydra, einem 22 km langen, reißenden Gebirgsfluß mit einem mit Felsblöcken übersäten Flußbett. Er durchfließt ein großes Naturschutzgebiet.

51 Zadov-Churáňov (1050 m), ein beliebtes Wintersportzentrum, das vor allem für die Skitouristik und den Langlauf geeignetes Terrain bietet.

52 Pancíř (1214 m), Berg nordöstlich von Železná Ruda mit einem Aussichtsturm. Touristenbaude aus dem Jahr 1923, Sessellift.

53 Krušné hory (Erzgebirge), Klínovec. Der 130 km lange Gebirgszug des Erzgebirges bildet die Grenze zwischen der ČSSR und der DDR. Die Wälder sind hier stark von Industrieexhalationen beschädigt. Der höchste Berg Klínovec (1244 m) ist ein beliebtes Zentrum der Touristik und des Skisports.

54 Typischer Erzgebirgsrücken zwischen der alten Bergstadt (heute Kurort) Jáchymov und der Siedlung Abertamy.

55 Františkovy Lázně (Franzensbad), ein Ende des 18. Jahrhunderts gegründeter Kurort im westlichsten Teil Böhmens, mit klassizistischer Bauanlage – heute städtische Denkmalschutzreservation.

56 In Mariánské Lázně (Marienbad – gegründet im Jahr 1805) sind auch Objekte der Gewerkschafterholung stark vertreten. Interessant ist hier die gußeiserne Kolonnade aus dem Jahre 1889 und der Kreuzbrunnen.

57 Loket, mittelalterliche Festung und ehemalige königliche Stadt über dem Fluß Ohře. Die Burg wird bereits im Jahre 1239 erwähnt.

58 Karlovy Vary (Karlsbad), der bekannteste böhmische Kurort, gegründet in der Mitte des 14. Jahrhunderts von Karl IV. Die Blütezeit des Kurorts, in dem vor allem Erkrankungen des Verdauungsapparats behandelt werden, fällt in die zweite Hälfte des 19. Jahrhunderts.

59 Den Kurort Karlsbad der letzten Jahrzehnte charakterisiert der Komplex der Kurhauses Thermal (siehe Aufnahme) und die Gagarin-Kolonnade.

60 Plzeň. Das Rathaus dieser westböhmischen Bezirksstadt ist ein Renaissancebau (1554–1558), der am Anfang des 20. Jahrhunderts renoviert wurde.

61 Cheb war im Mittelalter eine der bedeutendsten Städte Böhmens. Auf dem nach König Georg von Poděbrady benannten Marktplatz steht ein Špalíček (Stöckl) genannter Komplex von elf Krämerhäusern aus der Zeit nach 1400. Das Zentrum der Stadt ist eine Denkmalschutzreservation.

62 Děčín, Kreisstadt und Industriezentrum an der Elbe unweit der Grenze zur DDR. Die Dominante der Stadt ist das Renaissance-Barock-Schloß mit seinem Rosengarten. Das Schloß war ursprünglich eine romanische Přemyslidenburg.

63 Umgebung von Hřensko. Die Naturschönheiten der sog. Böhmisch-sächsischen Schweiz waren schon seit dem Beginn des 19. Jahrhunderts für Touristen attraktiv. Besonders beliebt sind die Engpässe des Flüßchens Kamenice, dessen schönste mit Galerien überbrückten Partien mit Booten befahrbar sind.

64 Das Felsentor Pravčická brána östlich von Hřensko ist eine bizarre Sandsteinfelsenbrücke mit einer Spannweite von 30 m und einer Höhe von 20 m.

65 Jablonec nad Nisou, Kreisstadt am Südrand des Isergebirges, bekannt durch die Kunstschmuckerzeugung (Museum). Tradition des Glashüttenwesens seit dem Ende des 16. Jahrhunderts.

66 Bedřichov im Isergebirge (707 m), Erholungszentrum, Ortschaft mit einer alten Glashüttenwesentradition.

67 Hier hat Trinkwasser seinen Ursprung. Motiv aus den Wäldern des von Exhalationen stark beschädigten Isergebirges.

68 Jizerská padesátka − ein Memorial der Peru-Bergsteigerexpedition, der größte Skilanglaufwettbewerb der Republik, an dem an 7000 Sportler teilnehmen (Männer 50 km, Frauen 20 km).

69 Auf dem Gipfel des Ještěd (1012 m), südlich von Liberec, wurde zu Beginn der siebziger Jahre ein 100 m hoher Fernsehturm mit einem Hotel erbaut.

70 Hazmburk, Ruine einer gotischen Burg am Südrand des Böhmischen Mittelgebirges. Naturschutzgebiet, guter Rundblick.

71 Schwäne bereicherten in den letzten Jahrzehnten die Fauna Böhmens.

72 Řip (456 m), der legendäre Berg nördlich von Prag, unter dem sich der Sage nach der Urvater Čech mit seinem Volk niederließ. Auf seinem Gipfel steht eine romanische Rotunde aus dem Jahr 1126. Seit dem Jahr 1848 fand hier eine Reihe von wichtigen Kundgebungen statt.

73, 74 Über dem Böhmischen Mittelgebirge. Günstige Luftströme locken in dieses Gebiet moderne Nachfolger des Ikarus.

75 Das Riesengebirge (Krkonoše), Gebirge im Norden Böhmens, der einzige Nationalpark Böhmens (siehe auch 76−79). Heute ernstlich von Industrieexhalationen bedroht. − Im westlichen Teil des Grenzkamms ist die ursprüngliche Gebirgsbaude Dvoračky erhalten geblieben, von wo sich dem Beschauer ein weiter Ausblick gegen Süden bietet.

76 Die Kämme des Riesengebirges im Winter.

77 Pec pod Sněžkou (769 m), Gebirgsortschaft, eines der Sportzentren im Ostteil des Riesengebirges. Die Ortsbezeichnung (pec = Schmelzofen) ist von den sich hier im 16.−19. Jahrhundert befindlichen metallerzverarbeitenden Hütten abgeleitet.

78 Špindlerův Mlýn (718 m), Gebirgsortschaft, Sportzentrum im mittleren Teil des Riesengebirges. Die Bergbausiedlung Svatý Petr wird bereits am Anfang des 16. Jahrhunderts erwähnt. Heute findet man hier ein Skistadion mit Abfahrtspisten.

79 Harrachov (686 m), Gebirgsortschaft, Sportzentrum im Westteil des Riesengebirges, bekannt durch seine Sprungschanzen. Alte Glasmachertradition.

80 Hradec Králové, ostböhmische Bezirksstadt. Auf dem Žižka-Platz ist vor allem die gotische Hl.-Geist-Kathedrale aus dem 14. Jahrhundert und neben ihr der 68 m hohe Weiße Turm, ein Gotik-Renaissance-Bau aus Sandstein vom Ende des 16. Jahrhunderts interessant.

81 Volksarchitektur. Komplexen von Volksarchitektur begegnet man in Böhmen auch im Riesengebirgs- und im Adlergebirgsvorland.

82 Litomyšl, Stadt in Ostböhmen mit einem historischen, unter Denkmalschutz stehendem Kern; hier vor allem der langgezogene Marktplatz und das Renaissanceschloß.

83 Trosky, typisches Element des Panoramas des Böhmischen Paradieses. Reste einer auf zwei vulkanischen Basaltkegeln, der Jungfrau und der Alten, errichteten Burg aus der zweiten Hälfte des 14. Jahrhunderts. Guter Rundblick.

84 Prachovské skály, eine ausgedehnte Sandsteinfelsenstadt in Nordostböhmen, die durch Erosion von Sandsteinablagerungen eines ehemaligen Meers entstanden ist. Ein bei Touristen und Bergsteigern sehr beliebtes Gebiet.

85 Rozkoš, ein Staubecken (10 km^2) in Nordostböhmen in der Nähe von Náchod. Dient der Bewässerung und dem Wassersport.

86 Die Große Pardubitzer Steeplechase wird bereits seit dem Jahr 1846 geritten. Heute hat das Gelände auf seiner 6900 m langen Rennbahn 39 Hindernisse (u.a. auch den berüchtigten Taxis-Graben). Eine der schwersten Pferderennstrecken auf dem europäischen Kontinent.

87 Brno, südböhmische Bezirksstadt, die Industrie- und Kulturmetropole Mährens (siehe auch 88−90). − Auf der ersten Aufnahme die Stausee von Brno.

88 Das Ausstellungsgelände von Brno erhielt seine erste ursprüngliche Form im Jahr 1928. Heute findet hier eine Reihe von internationalen Messen (Maschinenbau, Verbrauchsgüter u.a.) statt.

89 Brno, Petrov. Das heutige neugotische Aussehen der St.-Peter-und-Pauls-Kirche auf dem Hügel Petrov stammt aus den Jahren 1880−1910.

90 Brno, ein Platz im Zentrum, mit dem in den Jahren 1693−1695 errichteten Barockbrunnen Parnaß.

91 Das Staubecken Vírská nádrž am Fluß Svratka, nordwestlich von Brno, wurde in den Jahren 1947−1957 angelegt. Es dient als Trinkwasserreservoir.

92 Mährischer Karst, Macocha. Diese 138 tiefe Schlucht kann man von der sog. Oberen Brücke aus besichtigen, oder auch von den Punkva-Tropfsteingrotten, die zum Teil auch auf Booten befahren werden können.

93 Telč. Der Marktplatz dieser städtischen Denkmalschutzreservation ist ein einzigartiger Komplex von gotischen, Renaissance- und Barockhäusern.

94 Böhmisch-mährische Höhe, Veselý Kopec, ein Teil der Gebirgsortschaft Vysočina, ein Skansen der Volksarchitektur.

95 Kroměříž, Kreisstadt mit einem Barockschloß, städtische Denkmalschutzreservation. Der Garten Květná zahrada ist frühbarock, in französischem Stil angelegt. Seine heutige Kolonnade hat einen zentralen Pavillon.

96 Náměšť nad Oslavou, im Barockstil umgestaltetes Renaissanceschloß. Wertvolle Wandteppiche. Im Schloßpark hundertjährige Eichen.

97 Olomouc, mährische Kreisstadt, Denkmalschutzreservation. Auf dem Platz náměstí Míru steht das alte Rathaus mit einer astronomischen Uhr und eine monumentale Barockstatuengruppe.

98 Kopeček, Ortschaft nordöstlich von Olomouc, heute in diese Stadt einbezogen. Ende des 17. Jahrhunderts wurde hier in einer dominierenden Lage eine später umgestaltete Wallfahrtskirche errichtet.

99 Jeseníky, zwei ausgedehnte Gebirgszüge in Nordwestmähren (siehe auch 100, 102). − Die Peter-Steine, Reste von Gipfelfelsen im zentralen, höchsten Teil des Kamms, sind von Sagen über die hier angeblich abgehaltenen Hexensabbate umwoben.

100 Jeseníky. Das Tal des Flusses Bílá Opava mit zahlreichen Stromschnellen und Wasserfällen ist heute ein bemerkenswertes Naturschutzgebiet.

101 Nordmähren.

102 Jeseníky, Praděd (Altvater − 1492 m), der höchste Gipfel des Bergzugs Hrubý Jeseník und auch Mährens. Fernsehsender, Aussichtspunkt.

103 Winter unter dem Gebirge Javorníky, dessen zusammenhängender Kamm die Grenze zwischen der Tschechischen und der Slowakischen Republik bildet. Der höchste Gipfel ist der Javorník (1071 m).

104 Die Mährisch-schlesischen Beskiden, ein stark gegliedertes Gebirge in Nordostmähren. Der höchste Gipfel ist der Berg Lysá hora (1324 m). − Pustevny (1018 m), Ortschaft mit charakteristischen Touristen-Bergbauden.

105 Das Panorama des Radhošť (1129 m) in den Beskiden mit der Kapelle der hll. Cyril und Methodius auf seinem Gipfel, festgehalten vom Gebirgspaß Bumbálka.

106, 107 Rožnov pod Radhoštěm, das Wallachische Freilichtmuseum. Im einst typisch wallachischen Städchen Rožnov wurde im Jahr 1925 ein bedeutender Skansen gegründet. In der Stadt heute elektrotechnische Industrie.

108 Napajedla, Gestüt. In der zentralmährischen Stadt wurde bereits im Jahr 1882 ein Gestüt ins Leben gerufen, in dem heute englische Vollblüter gezüchtet werden.

109 Buchlovice. Südmährisches Städtchen mit einem Barockschloß aus dem 17. Jahrhundert, bei dem später ein ausgedehnter Park angelegt wurde.

110 Der sog. Königsritt in der Region Moravské Slovácko. In einer Reihe von Dörfern Südostmährens sind alte Bräuche und reich verzierte Trachten erhalten geblieben. Die größten ethnographischen Festlichkeiten finden alljährlich in Strážnice statt.

111 Bítov, befestigte Burg über dem heutigen Stausee von Vranov. Sie entstand im 11. Jahrhundert und machte Veränderungen in allen Baustilen mit. Ihr heutiges Aussehen ist neugotisch.

112 Vranov, Barockschloß über dem Fluß Dyje, erbaut als mittelalterliche Burg bereits an der Wende vom 11. zum 12. Jahrhundert. Im ovalen zentralen Gebäude der sog. Ahnensaal.

113 Mühle bei Vranov. In Südmähren kann man einigen erhaltenen Windmühlen begegnen, die meistens vom steinernen holländischen Typ sind.

114, 115 Lednice. Das heutige neugotische Aussehen des Schlosses in Lednice stammt aus der Mitte des 19. Jahrhunderts. Im Schloß wertvolle Holzschnitzereien, Sammlungen von Waffen, Porzellan und Jagdtrophäen. Der Schloßpark erhielt sein heutiges romantisches Aussehen mit einer Reihe von kleinen Bauten und einem Teich zu Beginn des 19. Jahrhunderts.

116 Bratislava. Hauptstadt der Slowakischen Republik und ihr politisches, wirtschaftliches, kulturelles und wissenschaftliches Zentrum und Mittelpunkt des Schulwesens und des Sports. Der historische Kern der Stadt mit seinen 359 wertvollen historischen Objekten wurde zur städtischen Denkmalschutzreservation erklärt. Rings um den altehrwürdigen Stadtkern wuchsen neue Bauwerke auf: die Basteien von Industrieunternehmen, die Turmbauten von Wohnsiedlungen, die Arkaden neuer Sportanlagen, das moderne Antlitz einer heutigen nationalen Metropole. Die Aufnahme zeigt den kaskadenförmigen Brunnen fontána Družby; sein zentraler Teil in der Form einer Lindenblüte hat einen Durchmesser von 9 m und wiegt 12 Tonnen; er steht auf einem Pfeiler in der Mitte eines runden Beckens mit einem Durchmesser von 45 m.

117 Bratislava. Die in zwei Ebenen verlaufende Stahlhängebrücke des Slowakischen Nationalaufstands mit ihrem einzigen schrägen Brückenpfeiler, in dessen Kopf sich das Aussichtscafé Bystrica befindet.

118 Bratislava. Das Hotel Kyjev und das Kaufhaus Prior auf dem Platz Kyjevské námestie bilden einen ausgedehnten Komplex. Der Platz ist einer der Hauptplätze des Geschäfts- und Gesellschaftszentrums der Stadt.

119 Bratislava. Abendliches Panorama mit der Dominante der Burg, die ein Nationales Kulturdenkmal ist.

120 Bratislava. Der am besten erhaltene Teil der Stadtmauern liegt in der Umgebung des im 14. Jahrhundert errichteten Michaelstors; es gehört zu den wichtigsten Resten der mittelalterlichen Befestigungen der Stadt; in seinem Turm ist derzeit eine Ausstellung des Städtischen Museums untergebracht.

121 Bratislava, wie es jeder Besucher in Erinnerung behält: mit der Burg, dem St.-Martins-Dom, der Donau und der Brücke des Slowakischen Nationalaufstands.

122 Bratislava. Blick auf den von mächtigen Bautenblöcken eingefaßten rechteckigen Platz (ein Barockpalast und drei moderne Baukomplexe) mit dem dominierenden Brunnen fontána Družby.

123 Bratislava. Am rechten Donauufer breitet sich die größte Wohnsiedlung der Stadt, Petržalka, aus, wo in den letzten fünfzehn Jahren fast 150.000 Einwohner ihre Heimat gefunden haben.

124 Devín. Burgruine über dem Zusammenfluß der Donau und der Morava (March), heute ein Nationales Kulturdenkmal, seit der Zeit des Großmährischen Reichs die bedeutendste Festung an der Grenze des Staates.

125, 126 Piešťany. Das Areal des Kurhauses Balnea Grand auf der sog. Kurinsel und die Kolonnadenbrücke des weltbekannten Kurorts im Tal des Flusses Váh, wo vor allem Erkrankungen des Bewegungsapparats behandelt werden.

127 Trenčianske Teplice. Der Umkleideraum Hamman im Kurhaus Sina im bedeutenden Kurort im Gebirgszug Strážovské vrchy, wo insbesondere Erkrankungen des Bewegungsapparats behandelt werden.

128 Nitra. Die im 11. Jahrhundert als slawische großmährische Burgstätte errichtete Burg ist das Ergebnis der Bau- und künstlerischen Tätigkeit mehrerer Jahrhunderte, heute ein Nationales Kulturdenkmal.

129 Bojnice. Zu Beginn unseres Jahrhunderts wurde die ursprünglich bereits im Jahr 1113 schriftlich belegte Burg, einst die Zentralstelle der königlichen Besitzungen am Oberlauf der Nitra, in ein Schloß umgebaut. Heute ein Nationales Kulturdenkmal.

130 Trenčín. Die in Chroniken bereits im 11. Jahrhundert erwähnte Burg war im 14. Jahrhundert Sitz des Matúš Čák, der fast das ganze Gebiet der Slowakei beherrschte. Nationales Kulturdenkmal.

131 Vršatec. Ruine einer Burg in den Weißen Karpaten, einem Gebirgszug der Äußeren Westkarpaten an der slowakisch-mährischen Grenze, die einst zum System der königlichen Wachburgen gehörte.

132 Beckov. Ruine einer im 12. Jahrhundert am Fuß des Považský Inovec als Grenzfestung errichteten Burg, die dem türkischen Angriff im Jahr 1599 standhielt. Nationales Kulturdenkmal.

133 Martin. Aus dem Areal des Museums der Volksarchitektur, das hier auf einer Fläche von 100 ha errichtet wird; hier werden alle Gebiete der Slowakei mit insgesamt 240 Bauten vertreten sein.

134 Martin. Eine Statue, die die traditionelle Institution Matica slovenská symbolisiert; sie ist der Sitz der Nationalen und der Zentralen Bibliothek, der Nationalen Bibliographie und Biographie, und beherbergt die wertvollsten Sammlungen der nationalen Kultur.

135 Banská Bystrica. Ursprünglich eine freie königliche Bergstadt, zur Zeit des Slowakischen Nationalaufstands im zweiten Weltkrieg sein zentraler Punkt, derzeit der politische, wirtschaftliche und kulturelle Mittelpunkt des Mittelslowakischen Bezirks; der historische Kern ist eine städtische Denkmalschutzreservation.

136 Zvolen. Panorama der Stadt mit ihrem, im 14. Jahrhundert als königliche Sommerresidenz erbauten Schloß, das derzeit für Ausstellungen und als Depositorium der Slowakischen Nationalgalerie dient. Nationales Kulturdenkmal.

137 Banská Štiavnica. Eine malerisch gelegene altehrwürdige Stadt an den Hängen des Bergzugs Štiavnické vrchy, eine wichtige europäische Bergstadt; über die hiesige Förderung existieren schriftliche Aufzeichnungen aus dem Jahr 1075; der historische Stadtkern ist eine städtische Denkmalschutzreservation.

138 Kremnica. Die alte Berg- und Münzstadt liegt terrassenförmig an den Hängen des Bergzugs Kremnické vrchy. Ihre Dominante ist die städtische Burg aus dem 14.–15. Jahrhundert. Der historische Stadtkern ist eine städtische Denkmalschutzreservation.

139 Kraľovany. Zusammenfluß der Orava und des Váh, Wegkreuzung in der Richtung zur Veľká und Malá Fatra.

140 Terchová. Statue des legendären Rebellen Jánošík, der in dieser wichtigen ethnographischen Lokalität geboren wurde. Zentrum des Fremdenverkehrs im nördlichen Teil der Malá Fatra.

141–143 Vrátna dolina. Eines der schönsten Täler der Slowakei, Zentrum der Touristik und des Skisports von internationaler Bedeutung im Nationalpark der Malá Fatra. Unsere Aufnahmen zeigen den engen, den Eingang zum Tal bildenden Cañon Tiesňavy, ferner den über der Gebirgssiedlung Štefanová in eine Höhe von 1610 m aufragenden Berg Veľký Rozsutec sowie eine der bizarrsten, Mönch genannten Felsformationen dieser Region.

144 Orava. Der Stausee am Fuß des Bergzugs Oravská Magura nimmt eine Fläche von 35 km² ein. Er wurde als eines der großen Nachkriegsbauunterfangen im Jahr 1953 beendet und ist schrittweise zu einem idealen Sommererholungsgebiet geworden.

145 Orava. Das Schloß (heute Nationales Kulturdenkmal) erhebt sich auf einem 112 m hohen Felsvorsprung über dem Fluß Orava; schriftlich wird es bereits im Jahr 1267 erwähnt. Es nimmt drei Felsenterrassen ein, die durch ein System von Burgmauern und Basteien verbunden sind. Nach einer Rekonstruktion befindet sich in einem Teil des Schlosses ein heimatkundliches Museum.

146, 147 Liptovská Mara. Der 27 km² große Stausee in einem Kessel unter der Westlichen Tatra ermöglicht eine bessere Ausnützung der Wasserenergie in 15 Wasserkraftwerken am Fluß Váh; am Nordufer des Stausees ist ein Wassersport- und Erholungszentrum.

148 Veľká Fatra. Vom Gesichtspunkt der Touristik gehört dieses Gebirge zu den bedeutendsten der Slowakei; es hat ausgezeichnete Abfahrtsterrains insbesondere im Gebiet der Gebirgssiedlung Donovaly. Das Gebirge ist ein sich auf einer Fläche von 606 km² erstreckendes Naturschutzgebiet.

149–151 Westliche Tatra. Das zweithöchste Gebirge der Tschechoslowakei hat einen zackigen, 35 km langen Kamm mit mehreren, die Seehöhe von 2000 m übersteigenden Gipfeln; das ganze Gebirge gehört zum Tatra-Nationalpark. Die Aufnahmen zeigen zwei Panoramen des Gebirges, das erste mit der charakteristischen Gemeinde Liptovský Trnovec, und ein Zusammentreffen mit der Tatra-Gemse (rupicapra rupicapra tatrica) unterhalb des Bergs Bystrá, dem höchsten Gipfel des Gebirges (2248 m).

152 Die Grotten Demänovské jaskyne. An der Nordseite der Niederen Tatra liegt das ausgedehnteste Grottensystem der Tschechoslowakei, in dem die Grotte Demänovská jaskyňa Slobody mit reichem Tropfsteinschmuck weltbekannt geworden ist. Sie besteht aus einem mehrstöckigen Labyrinth von Gängen und Domen in einer Gesamtlänge von 7 km.

153—155 Die Niedere Tatra. Dieses geschützte Gebirgsmassiv in der Tatra-Fatra-Region wurde zum Nationalpark auf einer Fläche von 811 km^2 erklärt, der vom kulturellen, wissenschaftlichen, wasserwirtschaftlichen, gesundheitlichen Gesichtspunkt und vor allem wegen seiner Bedeutung für die Touristik und Erholung von Wichtigkeit ist. Hier findet man auch ausgezeichnete Skipisten, vor allem im Bereich des 2024 m hohen Bergs Chopok. Die Aufnahmen zeigen einerseits die Südseite über dem Tal Bystrianska dolina, andererseits zwei Ansichten auf das Skiparadies auf der Nordseite über dem Tal Demänovská dolina.

156 Die Hohe Tatra. Das höchste Gebirge der Tschechoslowakei und gleichzeitig das wichtigste Gebiet des Fremdenverkehrs des Staates mit ausgezeichneten Bedingungen für die Hochgebirgstouristik, den Bergsteigersport, für die klassischen und zum Teil auch für die Abfahrtsskidisziplinen, für die Erholung und die klimatische Kurbehandlung. Das geschützte Gebiet wurde zum Nationalpark auf einer Fläche von 510 km^2 erklärt; das einzige Hochgebirge der Tschechoslowakei, der höchste Berg ist hier die Gerlach-Spitze (2655 m). Auf unserer Aufnahme ist ein Panorama des Gebirges mit der Ortschaft Štrba, dem Ausgangspunkt für Gebirgstouren in den westlichen Teil der Hohen Tatra.

157 Die Hohe Tatra. Der einst Ded (Großvater) genannte und nach früheren Ansichten höchste Berg der Tatra. Nach Errichtung der Drahtseilbahn aus Tatranská Lomnica wurde der heute Lomnický štít genannte Berg (2632 m) zum besuchtesten Gipfel der Tatra.

158, 159 Die Hohe Tatra. Die Bergspitzen in Erwartung des Winters und der Abstieg von einem seiner Berge, den Rysy, einem tschechoslowakisch-polnischen Grenzgipfel mit einer Seehöhe von 2499 m.

160, 163 Die Hohe Tatra. Zwei Ausblicke in eine Märchenlandschaft: der sog. Freiheitsweg, der alle Tatra-Niederlassungen verbindet, und eine Idylle unter den Tatrabergen.

161, 162 Belianske Tatry, ein Teil der Osttatra im System der Inneren Westkarpaten, der zum Tatra-Nationalpark gehört. Der sich über der charakteristischen Gemeinde Ždiar erhebende Hauptkamm ist 14 km lang; sein malerischester Teil ist der westliche mit dem dominierenden Berg Ždiarska vidla (2152 m). Die Aufnahmen zeigen ein abendliches Panorama des Gebirges und das Zentrum des ehemaligen Kurorts Ždiar, der heute das größte Touristen-Unterkunftszentrum der Tatra geworden ist.

164 Pieniny. Das Gebirge im Gebiet der Ostbeskiden durchfließt der Gebirgsfluß Dunajec; auf der Aufnahme der Engpaßabschnitt Tri koruny (bereits auf polnischem Staatsgebiet), über den der Hauptverbindungsweg des Nationalparks Pieniny führt, eines Naturschutzgebiets auf einer Fläche von 21 km^2. Der Fluß bildet 17 km lang die tschechoslowakisch-polnische Staatsgrenze.

165 Levoča. Eine Stadt am Fuß der Berge Levočské vrchy, die durch die Holzschnitzerwerkstatt des Meisters Pavol bekannt ist. Sein Werk ist gemeinsam mit der St.-Jakobs-Kirche ein Nationales Kulturdenkmal; der historische Stadtkern wurde zu einer Denkmalschutzreservation erklärt.

166 Spišské Podhradie. Ein Städtchen in einem Kessel am Fluß Hornád, über dem sich die Ruinen der Zipser Burg (Spišský hrad), eines Nationalen Kulturdenkmals, erheben, eines der ausgedehntesten Burgkomplexe Europas und des größten der Tschechoslowakei; schriftliche Unterlagen über seine Existenz stammen aus dem Jahr 1209. Der Spišská Kapitula genannter Teil des Städtchens ist heute eine städtische Denkmalschutzreservation.

167 Das Slowakische Paradies, ein Teil des Karstgebiets Spišsko-gemerský kras. Es steht unter Naturschutz und bildet den gleichnamigen Nationalpark auf einer Fläche von 141 km^2; einzigartig und für Touristen besonders anziehend sind insbesondere die tiefen und engen Cañons und Schluchten, Erdfälle, Karstgebilde und -quellen, Plateaus und Grotten sowie auch die vielartige Flora und Fauna.

168 Bardejovské Kúpele. Der Kurort war bereits im 13. Jahrhundert bekannt. Er ist von den waldreichen Bergen Ondavská vrchovina umgeben und es werden hier Erkrankungen des Verdauungstrakt und der Atemwege behandelt.

169 Svidník. Die Stadt war ein Zeuge der Dukla-Operation, einer der größten Schlachten des zweiten Weltkriegs auf dem Gebiet der Tschechoslowakei. Neben dem zum Nationalen Kulturdenkmal erklärten militärischen Freilichtmuseum auf dem Dukla-Paß befindet sich hier auch das Museum der ukrainischen Kultur.

170 Prešov. Stadt am Fuß des Bergzugs Šarišská vrchovina, das durch die Proklamierung der Slowakischen Räterepublik im Jahr 1919, des ersten Staats der Diktatur des Proletariats auf dem Gebiet der Tschechoslowakei, bekannt ist. Die Aufnahme zeigt den historischen Stadtkern, der heute eine städtische Denkmalschutzreservation ist.

171 Zemplínska šírava, ein Stausee am Fuß des Gebirges Vihorlat, der bei vollem Wasserstand eine Fläche von 33,5 km^2 einnimmt. Er ist heute ein vielbesuchtes ganzstaatliches und internationales Zentrum der sommerlichen Erholung.

172, 173 Košice. Das politische, wirtschaftliche, kulturelle, wissenschaftliche und auch das Schulwesen betreffende Zentrum des Ostslowakischen Bezirks. Hier wurde das Programm der ersten Regierung der Nationalen Front der Tschechen und Slowaken im April 1945 verkündet, das unter der Bezeichnung Regierungsprogramm von Košice bekannt ist. Auf den Aufnahmen ein Panorama der Stadt mit ihren zahlreichen Neubauten, und der St.-Elisabeth-Dom, die größte Kirche und das bedeutendste Werk der gotischen Baukunst in der Slowakei, ein Nationales Kulturdenkmal.

174, 175 Wo immer: Zwei Symbole des Lebens, seiner Schönheit und ewigen Dauer.

Czechoslovakia

FOREWORD / Just how many forms has this country?

It seems as though Nature concentrated on this small territory in the centre of Europe and worked on it diligently for thousands of years. She endowed us with practically the whole repertoire of landscape formations and types from watery green plains up to dramatically rugged high mountains.

And nothing has been neglected in the sphere of human work either. Generations of builders, stonemasons, bricklayers and carpenters and craftsmen and artists from the chisel and brush have built towns, villages, castles, châteaux and simple structures in valleys, in plains and on hills and linked them with paths and roads made of stone, asphalt and iron. The lofty Gothic, the monumental Roman Baroque, the Lombardic and Tuscan Renaissance, the frivolous Rococo and the noble Empire made themselves at home in our squares and on our village greens. Finally, iron and concrete, multi-storeyed buildings and the arches of bridges appeared on the scene. In the course of a millennium remarkable aggregates of the past and present grew from human settlements, while landscape and architectural reservations grew from the country as a whole.

In spite of this, however, the appearance of this country is not merely a complex of landscapes, towns, villages, castles and châteaux. Neither is it a geographical atlas or museum collection. Only when regions are addressed with human language and only when the memory of towns and villages becomes one with the experience of the present do they become a country which can be called by a name. "A landscape is the image of the soul," said the romantics, seeming to have found one of the keys to the relation between Man and Earth. To the relation in which South Bohemia ceases to be merely a wet, green plain and the High Tatras a high-mountain region and become parts of our existence, our human experience, our feelings and emotions. Like something which belongs to us and with which we have an irrevocable kinship.

Czechoslovakia is above all a country of people also for Oldřich Karásek. As the protagonist of his pilgrimage as a photographer from Bohemia to the remotest corner of Slovakia he chose Man, who walks, rides, sails and flies. Man in movement, as in the sign of this century and thus this time also in the sign of this country. Sometimes as the dominant and at other times as a coloured point in typical Czech, Moravian and Slovak panoramas and town and country motifs. A pilgrim on foot, on a bicycle, on skis, in a canoe and on a rogallo signal the exact time of the Czechoslovak present. And where we do not come across them at least their colours will glow. The colours of the present with which Oldřich Karásek paints a picture of his country instead of with the subdued browns or coloured mood mists of old masters. He does this in order that the language of such colours may free the ancient silhouettes of towns from the nostalgic haze of ancientness and make them our contemporaries once again. In order that the language of light may lend a glow to the façades of palaces and cathedrals and that the fortifications of castles and the cliffs of housing estates may join the ranks of those who walk, drive, sail and fly.

Already in his panoramas and photographic pictures of European cities and above all of our capital Oldřich Karásek proved that he is not ashamed of this century and has no intention of concealing it behind Gothic or Baroque settings. On the contrary, because he knows the secret and charm of its metaphors, he interposes them in ancient streets and in the immobile forests and mountains with the monumentality of the eternity of nature and thus transforms them into a picture of the life-giving coexistence of the ages. He does not photograph merely to describe, but in order to convince us of the wealth of inner happenings under the surface of the forms of the visible world. Happenings, movements and rhythms which appear to phosphoresce in the colours and lights of Oldřich Karásek's photographs.

And so let Czechoslovakia thrive under the flag of a rogallo in the blue skies and of a yacht on blue water. Let Man's sign of a hundred colours glow in its coat-of-arms.

JOSEF BRUKNER

EXPLANATORY NOTES TO PHOTOGRAPHS

Front page of cover: St. Vitus's Cathedral, a part of Prague Castle. National cultural monument.

Back page of cover: Mount Kriváň, 2,494 m, in the High Tatras, the symbolic peak of the unity of the Slavs and the freedom of the Slovaks.

1 Vysoké Tatry (the High Tatras), Štrbské Pleso (see also 156–163).

2 A flowering meadow

3 Karlštejn, the most important Czech castle, founded by Charles IV as the place of safe-keeping of the coronation jewels. Built in the years 1348–1357, rebuilt in the Renaissance and finally re-Gothicized in the late 19th century.

4 České středohoří (the Bohemian Central Highlands), Raná (457 m). A conspicuous, unforested basalt hill near Louny which attracts rogallo enthusiasts (see also 73, 74).

5 Nízke Tatry (the Low Tatras), Jasná (see also 153–155).

6 Máchovo jezero (Mácha's Lake), originally Velký rybník (Big Pond) (280 hectares). Now a recreation lake in North Bohemia. The most outstanding poetic work of Czech romantism, K. H. Mácha's Máj (May – 1836), is connected with it.

7 Vysoké Tatry (the High Tatras), a path on Kriváň (see also back page of cover and 1, 156–163).

8 The Jeseník water reservoir (746 hectares) east of Cheb serves industrial needs and is also used for water sports.

9 Liptovský Mikuláš, the water sports stadium

10 Prague, the capital of the Czechoslovak Republic and one of the most attractive European metropoles. Its historical quarters, in particular Staré Město (the Old Town) with Josefov, Malá Strana (the Little Quarter) and Hradčany, attract attention with 16 buildings and complexes ranking among the foremost national cultural monuments due to their importance from the aspects of art and history (see also 11, 13–17, 21). – Outstanding among the scores of other monuments is, for example, the Baroque Church of St. Nicholas in the Little Quarter, built from 1704–1755 by K. and K. I. Dientzenhofer and A. Lurago.

11 From the late 9th century the Czech sovereigns were crowned and resided at Prague Castle. The Castle experienced its greatest period of flourish at the time of Charles IV and during the reigns of Vladislav Jagiello and Rudolph II. The post-war period has also been marked by a number of modifications and archeological research.

12 Prague, the swimming stadium at Podolí, built in the years 1959–1965, comprising 3 pools, a gymnasium, a sports ground, a beach, etc.

13 The National Theatre was built from gifts and collections in the years 1868–1883. After its provisionary opening in 1881 it was severely damaged by fire, but rapidly rebuilt. The year 1983 was marked by the completion of its general reconstruction and the building of The New Stage.

14–17 Prague, Staroměstské náměstí (Old Town Square). Already from the end of the 10th century a market-place, later the centre of the settlement of the town, originated on its area. – From the mid-14th century Gothic triple-naved Týn Church with 80 metres high twin spires was built here. – The oldest part of the Town Hall complex dates in the mid-14th century and the horologe on the Gothic tower acquired its original likeness in 1410. – St. Nicholas's Church from 1732–35 was built by K. I. Dientzenhofer. – The Master Jan Hus (John Huss) monument commemorating the burning at Constance of this spiritual leader in 1415 is the work of L. Šaloun of 1902–1915. – Goltz-Kinský Palace of 1755–1765, built by A. Lurago, serves as the depository of the collections of graphic sheets of the National Gallery.

18 Prague's rooftops.

19 The building of the modern Forum Hotel was completed in 1988.

20 Prague, Štvanice, the present central tennis court, built in the years 1930–1932, has recently undergone reconstruction.

21 Charles Bridge, a work by Peter Parler started in 1357 and later enriched with a complex of sculptures by F. M. Brokoff, M. B. Braun and others, connects the Old Town with the Little Quarter.

22 Prague below Barrandov, the southern part of the city which was named after the French geologist J. Barrand (1799–1883), who, among other things, carried out research of the Czech Palaeozoic Age.

23 Mělník, a district town lying north of Prague on the confluence of the Rivers Elbe and Vltava. The original castle of princes was already standing here in the late 10th century. It was rebuilt particularly in the Renaissance and in the early 18th century. An exposition of the Czech Baroque is installed in its interior.

24 A Central Bohemian landscape.

25 Konopiště, the château as seen from the Rose Garden. This Early Gothic castle acquired its present romantic appearance in the late 19th century. Its interiors contain collections of historical arms. English park. Rose Garden with numerous sculptures imported from Italy.

26 Kutná Hora, in the 14th and 15th centuries the second biggest Czech town (mining of silver ores). St. Barbara's Cathedral was built from 1388, its last modifications and completion works dating as late as in the early 20th century (see also 29).

27, 28 At Čerčany.

29 Kutná Hora, general view of the present district town whose core forms a historical town reserve (the Italian Court, the Stone House and a number of church, especially Baroque, buildings (see also 26).

30 Křivoklát was founded in the forests of Central Bohemia in the early 12th century as a wooden hunting castle of the Czech princes. It acquired its Gothic appearance in the 13th century and was restored from the end of the 19th century. The photograph shows a group specializing in historical fencing.

31 At Konopiště (see also 25).

32 Český Šternberk, originally a Gothic castle on the central flow of the River Sázava. Originated c. 1240 and has undergone several reconstructions. Its interiors have period furniture. Collection of engravings from the time of the Thirty Years War.

33 South Bohemia (see also 34—47) attracts the visitor with its historical towns, castles and châteaux, but also with its landscape abounding in ponds. – The present appearance of Hluboká Château dates in 1841—1871 and features the so-called Windsor style. The château has rich inner furnishings and a library. A gallery of works of the South Bohemian Gothic is installed in the former riding-school.

34 The pond Horusický rybník at Veselí nad Lužnicí is the third biggest in Bohemia (416 hectares) and was founded in 1511. A part of its banks is formed by a peat-bog, now the Ruda nature preserve.

35 The pond Velký Tisý (317 hectares), lying north-east of Třeboň, was completed in 1505. Now a nature preserve and water fowl sanctuary.

36 The River Vltava between Český Krumlov (see also 42) and Rožmberk Castle.

37 Tábor. In 1420 military commander Žižka's people founded a fortified town on a headland overlooking the River Lužnice which underwent an extensive Renaissance reconstruction in the 16th century. Historical town reserve.

38 Lipno dam lake in the Český Krumlov district forms the first stage of the so-called Vltava Cascade (see also 43). It was built in the years 1950—1959 on an area of nearly 50 sq. km at a height of 720 m. Underground hydroelectric plant, but also used for recreation purposes.

39 Frymburk is an ancient little town and recreation resort on the bank of Lipno dam lake. Its Late Gothic church was built about 1530.

40 Český Krumlov, a district town and the most notable South Bohemian historical town reserve. Large Renaissance château and also big complexes of historical buildings (Latrán).

41 České Budějovice, a regional town with a big, regular square and historical houses with arcades. Standing in a corner of the square is the 72 m high Gothico-Renaissance Black Tower of 1549—1578. The originally Renaissance Town Hall was Barocized in the years 1727—1730. Samson's Fountain dates in the same period.

42 Rožmberk nad Vltavou, a castle with an Early Gothic tower called Jakobínka and the Lower Castle of later origin. Rebuilt in the mid-19th century. Period interiors, picture gallery containing Baroque paintings.

43 Čertovy proudy (The Devil's Currents) in the Vltava, a sheer, rocky pass, now usually without water. If any, the water flows through an underground tunnel to the hydroelectric plant at Vyšší Brod.

44 The fishing-out of South Bohemian ponds, built in the 13th—16th century, is a popular yearly event in South Bohemia. – Rožmberk (489 hectares), the biggest pond in Bohemia, was built on the River Lužnice.

45 The pond Dehtář (246 hectares), lying north-west of České Budějovice.

46 At Tábor (see also 37).

47 Orlík nad Vltavou, a royal castle of the 13th century, now a Renaissance château, modified in the 19th century. Valuable reception rooms on the second floor and others.

48 The scenery of the region below the Šumava Mountains. The foothills of the Šumava Mountains and particularly the 125 km long belt of the Šumava Mountains themselves along the border with the Federal Republic of Germany and Austria rank among the most popular tourist regions in Bohemia (see also 49—52).

49 Šumava (the Šumava Mountains). The downhill run on Špičák (1,202 m) is a part of the recreation region surrounding Železná Ruda (the lakes Černé jezero and Čertovo jezero, Pancíř).

50 Šumava, on the River Vydra. This 22 km long, wild mountain river with a rocky bed flows through a protected nature preserve.

51 Zadov-Churáňov (1,050 m), a lively winter sports resort suitable especially for tourism on skis and cross-country skiing.

52 Pancíř (1,214 m), a peak situated north-east of Železná Ruda with an observation tower. Tourist chalet of 1923, chair-lift.

53 Krušné hory (the Ore Mountains), Klínovec. The 130 km long mountain range of the Ore Mountains forms the north-west border between Bohemia and the German Democratic Republic. The local forests have been severely damaged by industrial exhalations. The highest peak in the range, Klínovec (1,244 m), is a popular tourist and skiing centre.

54 The typical ridge of the Ore Mountains between the old mining town (now a spa) of Jáchymov and the community of Abertamy.

55 Františkovy Lázně on the western promontory of Bohemia was founded in the late 18th century with a Classical ground-plan – now a historical town reserve.

56 Mariánské Lázně, a spa founded in 1805, also has recreation facilities of the Revolutionary Trade Unions Movement. Of special interest are the cast iron colonnade of 1889 and the spring called Křížový pramen (Cross Spring).

57 Loket, a medieval fortress and former royal town on the River Ohře. The castle was mentioned in 1239.

58 Karlovy Vary is the most important Czech spa. It was founded in the mid-14th century by Charles IV. The greatest period of the spa, where disorders of the alimentary tract are treated, falls in the latter half of the 19th century.

59 Karlovy Vary of recent decades i characterized by the complex of the Thermal Sanatorium (in the photograph) and the Gagarin Colonnade.

60 Plzeň. The Town Hall in this Wes Bohemian regional town is Renaissance (1554—1558). It was renovated in the early 20th century.

61 In the Middle Ages Cheb was on of the most important Czech towns. Situated in the square náměstí Jiříh z Poděbrad is, among other buildings, the complex of eleven houses with shops called Špalíček, dating in the period after 1400. The core of the town forms a historical town reserve.

62 Děčín, a district industrial town on the River Elbe near the border with the German Democratic Republic. The local landmark is the Renaissance Baroque château with a Rose Garden. Originally a Romanesque castle of the Přemyslids.

63 At Hřensko. The beautiful natur al scenery of the so-called Bohemian-Saxon Switzerland has attracted tourists since the early 19th century. A part of it is formed by the passes of the Kamenice, whose most attractive sectors have been made navigable and roofed with galleries.

64 Pravčická brána east of Hřensko, a natural rock formation in the form of a bizarre sandstone rock bridge spanning a distance of 30 m and reaching to a height of 20 m.

65 Jablonec nad Nisou, a district town on the southern border of the Jizerské hory (Jizera Mountains), known for its production of fashion jewellery (also a museum). Glassmaking tradition since the late 16th century.

66 Bedřichov in the Jizera Mountains (707 m), a recreation resort and community with a glass-making tradition.

67 Drinking water originates here. A motif from the forests of the Jizer Mountains, severely damaged by ex halations.

68 The Jizera Fifty – the biggest skiing race in the Czechoslovak Socialist Republic in which about 7,000 cross-country skiers take part (men 50 km, women 20 km). It was founded to commemorate the Czechoslovak mountain-climbers o the Peru expedition.

69 On the summit of Ještěd (1,012 m), south of Liberec, is a 200 m high TV transmitter with a hotel, built in the early seventies.

70 Hazmburk, the ruins of a Gothic castle on the southern edge of the Bohemian Central Highlands. Nature preserve, circular view.

71 In recent decades swans have enriched Czech fauna.

72 Říp (456 m), a legendary mountain north of Prague below which, according to a legend, Primal Father Čech settled with his people. The landmark of the lowlands of the Elbe valley. A Romanesque rotunda of 1126 is situated on its summit. Since 1848 a number of important popular rallies have taken place here.

73, 74 Above the Bohemian Central Highlands. Favourable wind currents attract modern Ikaros to the region.

75 Krkonoše (The Giant Mountains), a range in North Bohemia forming the only Czech national park (see also 76–79), now seriously threatened by industrial exhalations. – An original mountain chalet, called Dvoračky, from where there is a far-reaching view towards the south, has been preserved in the western part of the border ridge.

76 The winter ridges of Krkonoše (the Giant Mountains).

77 Pec pod Sněžkou (769 m), a mountain community and sports centre in the eastern part of the Giant Mountains. Its name was derived from an ore-working foundry (16th-19th century).

78 Špindlerův Mlýn (718 m), a mountain town and sports centre in the central part of Krkonoše (the Giant Mountains). The mining community Svatý Petr (St. Peter) was mentioned already in the early 16th century. A skiing stadium and downhill runs are now situated here.

79 Harrachov (686 m), a mountain town and sports centre in the western part of Krkonoše (the Giant Mountains). Known for its ski-jump structures and glass-making traditions.

80 Hradec Králové, the East Bohemian regional town. An attractive sight in its square Žižkovo náměstí is the Gothic Cathedral of the Holy Spirit of the 14th century, another being the 68 m high White Tower, a Gothico-Renaissance sandstone structure of the late 16th century.

81 Folk architecture. In Bohemia compact complexes of folk architecture can be seen in the region below the Krkonoše Mountains and in the foothills of the mountain range called Orlické hory (the Eagle Mountains).

82 Litomyšl, a town in East Bohemia with a protected historical core. Its elongated square and Renaissance château are particularly interesting sights.

83 Trosky, an inseparable part of the panorama of Český ráj (the Bohemian Paradise). Remains of a castle of the latter half of the 14th century built on two hills of igneous basalt, called Panna and Baba. Circular view.

84 Prachovské skály (Prachov Rocks), a big sandstone rock town in North East Bohemia. It originated as the result of the erosion of the sandstone deposits of a former sea. It holds a great attraction for tourists and mountain-climbers.

85 Rozkoš, a water reservoir (10 sq. km) in North East Bohemia, near Náchod. It serves for irrigation and water sports purposes.

86 The Grand Pardubice Steeplechase, a horse-racing event which has taken place since 1846. It now has 39 obstacles on a track covering 6,900 metres (among others the legendary Taxis Ditch). One of the most difficult horse-racing tracks on the European continent.

87 Brno, the South Moravian regional town and the industrial and cultural centre of Moravia (see also 88–90). – The first photograph shows the Brno water reservoir.

88 The Brno Trade Fair Ground gained its first likeness in 1928. A number of international trade fairs (engineering, consumer goods, etc.) now take place here.

89 Brno, Petrov. The present Neo-Gothic appearance of the Cathedral of SS. Peter and Paul on Petrov Hill dates in the years 1880–1910.

90 Brno, the square in the city centre, one of whose attractive sights is the Baroque fountain called Parnas. It dates in the years 1693–1695.

91 The Vír dam lake on the River Svratka, north-west of Brno, was built in the years 1947–1957. It serves as a source of drinking water.

92 Moravský kras (the Moravian Karst), Macocha. This 138 m deep abyss can be viewed from Horní můstek (Upper Bridge), or from the Punkva stalagmite and stalactite caves. The visitor can make a boat trip along a part of the underground River Punkva.

93 Telč. The square in this historical town reserve forms a unique whole with Gothic, Renaissance and Baroque houses.

94 Českomoravská vrchovina (the Bohemian-Moravian Highlands), Veselý Kopec, a part of the mountain community Vysočina, forming a skansen.

95 Kroměříž, a district town with a Baroque château. Historical town reserve. The Květná (Flower) Garden, laid out in French style, is Early Baroque. Its present colonnade has a central pavilion.

96 Náměšť nad Oslavou, a Barocized Renaissance château. Rare tapestries can be seen in its interiors. The château park has centuries' old oak trees.

97 Olomouc, a Moravian district town. Historical town reserve. The square náměstí Míru has an old Town Hall with a horologe and a monumental Baroque group of statues.

98 Kopeček, a community northeast of Olomouc which now forms a part of the town. In the late 17th century a church of pilgrimage, later modified, was built here in a dominant position.

99 Jeseníky (the Jeseník Mountains), a big mountain zone in North West Moravia (see also 100, 102). – Petrovy kameny (Peter's Stones), remains of summit rocks in the central, highest part of the ridge. Woven with legends about dances of witches.

100 Jeseníky (the Jeseníks). The valley of the Bílá Opava River with numerous rapids and waterfalls now forms a remarkable nature preserve.

101 North Moravia.

102 Jeseníky (the Jeseníks), Praděd (1,492 m), the highest peak of Hrubý Jeseník and Moravia. Television transmitter, observation place.

103 Winter below the Javorníky (the Javorníks), whose continuous ridge forms a part of the border between the Czech Republic and the Slovak Republic. The highest peak is Javorník (1,071 m).

104 Moravskoslezské Beskydy (the Moravian-Silesian Beskids), a rugged mountain range in North East Moravia. Its highest peak is Lysá hora (1,324 m). – Pustevny (1,018 m) with characteristic mountain tourist chalets.

105 The panorama of the peak called Radhošť (1,129 m) in the Beskids with the Chapel of SS. Cyril and Method on its summit is portrayed here from the mountain saddle called Bumbálka.

106, 107 Rožnov pod Radhoštěm. A Wallachian skansen was founded in this town in 1925. The town is known for its electrical engineering industry.

108 Napajedla, a stud farm. The stud farm was founded in this Central Moravian town already in 1882 for the breeding of English thoroughbreds.

109 Buchlovice. A small South Moravian town with a Baroque château of the 17th century where a large park was later founded.

110 The Ride of Kings in Moravské Slovácko (Moravian-Slovakia). Village customs and rich national costumes have been preserved in a number of communities in South East Moravia. The biggest folklore festivals take place at Strážnice every year.

111 Bítov, a fortified castle overlooking Vranov dam lake. It originated in the 11th century and was subjected to modifications in all architectural styles. It now has a Neo-Gothic appearance.

112 Vranov, a Baroque château overlooking the River Dyje. It was built as a medieval castle at the turn of the 11th and 12th centuries. The oval central building determines the shape of the so-called Hall of Ancestors.

113 A mill at Vranov. Several preserved windmills can be seen in South Moravia which are most frequently of the Dutch masonry type.

114, 115 Lednice. The present Neo-Gothic appearance of the château at Lednice dates from the mid–19th century. The château has rich carvings and collections of arms, china and hunting trophies. The château park acquired its present romantic appearance with a number of structures and a pond in the early 19th century.

116 Bratislava. The capital of the Slovak Republic and its political, economic, cultural, educational, scientific and sports centre. The historical core of the city with 359 valuable protected buildings has been proclaimed a historical town reserve. New values have originated beyond the ancient historical core: the bastions of production works, the multistoreyed buildings of housing estates, the arcades of sports grounds and the contemporary appearance of a modern national metropolis. The photograph shows the cascade-type Družba (Friendship) fountain. Its core is a lime flower of a diameter of 9 m and a weight of 12 tons which stands on pillars in the centre of the circular basin of a diameter of 45 m.

117 Bratislava. Slovak National Uprising Bridge, a steel, suspended cable structure built on two levels with a single oblique pylon terminating with the Bystrica Café affording far-reaching views.

118 Bratislava. The Kyjev Hotel and the Prior department store in the square Kyjevské námestie form a large complex and one of the main places of the commercial and social centre of the city.

119 Bratislava. The evening panorama of the city, dominated by the Castle. National cultural monument.

120 Bratislava. Best-preserved of the city's fortification system is the part surrounding the gate Michalská brána, which originated in the 14th century. It is one of the most notable remains of the medieval fortifications. An exposition of the Municipal Museum is installed in the tower.

121 Bratislava. Every visitor remembers the city like this: with the Castle, St. Martin's Cathedral, the Danube and Slovak National Uprising Bridge.

122 Bratislava. The view of the square, lined with huge oblong blocks of buildings, one Baroque and three contemporary, with a dominant feature in the form of the Družba (Friendship) fountain.

123 Bratislava. Spreading out on the right bank of the Danube is Bratislava's biggest housing estate − Petržalka, where nearly 150,000 inhabitants have found their home in the past fifteen years.

124 Devín, the ruins of a castle, a national cultural monument, on the confluence of the Rivers Morava and Danube, from the time of the Great Moravian Empire the most important fortress on the border of the state.

125, 126 Piešťany. The area of the Balnea Grand Sanatorium on the island Kúpeľný ostrov and Colonnade Bridge at the world-renowned spa town in the Váh valley, known especially for its treatment of diseases of the motory organs.

127 Trenčianske Teplice. The Hammam changing-room at the Sina Sanatorium at this important spa in the hills Strážovské vrchy, where particularly diseases of the motory organs are treated.

128 Nitra. A castle built in the 11th century as a Slavonic means of defence in the Great Moravian Empire. It represents the result of several centuries of building and artistic activity. National cultural monument.

129 Bojnice. A château which was originally a castle documented in 1113 as a centre of the royal property on the upper Nitra. At the beginning of the present century it was converted into a château. National cultural monument.

130 Trenčín. A castle mentioned in chronicles already in the 11th century. In the early 14th century it was the seat of the oligarch Matúš Čák of Trenčín, who ruled over practically the whole territory of Slovakia. National cultural monument.

131 Vršatec, the ruins of a castle in the White Carpathians, a range in the Outer West Carpathians on the Slovak-Moravian border. The castle formed a part of the system of royal castles built for defence purposes.

132 Beckov, the ruins of a castle at the foot of the Považský Inovec Mountains, built as a border castle in the 12th century. It resisted an attack by the Turks in 1599. National cultural monument.

133 Martin. From the grounds of the open-air museum of folk architecture, built on an approximate area of 100 hectares. All the regions of Slovakia will be represented here with 240 buildings.

134 Martin. The statue symbolizing the Matica of Slovakia, a traditional institution which is the seat of the National Library, the Central Library and the National Bibliography and Biography, the custodian of the most valuable national cultural collections with its seat at Hostihora.

135 Banská Bystrica, originally a free royal and mining town which was the headquarters of the Slovak National Uprising. It is now the political, economic and cultural centre of the Central Slovak region. Its historical core is a historical town reserve.

136 Zvolen. The panorama of the town with its château, built in the 14th century as a royal summer seat. After undergoing reconstruction, it now houses expositions and collections of the Slovak National Gallery. National cultural monument.

137 Banská Štiavnica. An ancient town picturesquely situated on the slopes of the range of hills called Štiavnické vrchy. An important mining town of Europe with written mining documents of 1075. Its historical core is a historical town reserve.

138 Kremnica, an ancient mining and minting town, spreading out in terraces on the slopes of the range of hills called Kremnické vrchy. The local landmark is the complex of the town castle of the 14th−15th centuries. Its historical core is a historical town reserve.

139 Kraľovany. The confluence of the Rivers Orava and Váh is situated here and the roads to Veľká Fatra (the Big Fatra) and Malá Fatra (the Little Fatra) intersect at this point.

140 Terchová. A statue of the legendary robber Juro Jánošík, a native of Terchová, forms the landmark of this important ethnographical locality and tourist centre in the northern part of the Little Fatra.

141−143 Vrátna dolina, one of the most beautiful valleys in Slovakia. It is a tourist and skiing centre of international repute in the Malá Fatra National Park. The photographs show the narrow Tiesňavy Canyon, forming the entrance to the valley, Veľký Rozsutec, a picturesque peak rising above the mountain community of Štefanová to a height of 1,610 metres above sea level, and one of the bizarre rock formations, called Mních (Monk).

144 Orava, a water reservoir at the foot of Oravská Magura. It spreads out on an area of 35 sq. kilometres and was completed as one of the first big post-war structures in 1953, gradually becoming an ideal place for summer recreation.

145 Orava. The local château, a national cultural monument, situated on a rock at a height of 112 m above the River Orava. Written mention was made of it in 1267. It occupies three highly situated terraces of the castle rock connected with the fortification system of walls and bastions. After undergoing an extensive renovation, a part of it is now being adapted to house an ethnographical museum.

146, 147 Liptovská Mara, a water reservoir in the valley below the Západné Tatry (the West Tatras). It covers an area of nearly 27 sq. km and secures better use of the water energy of another 15 hydroelectric power plants on the River Váh. Water sports and recreation centres have originated on its northern bank.

148 Veľká Fatra (the Big Fatra). From the viewpoint of tourism this mountain range ranks among the most important in Slovakia. It has excellent downhill runs for skiing especially in the region of the mountain community of Donovaly. It forms a protected landscape region covering an area of 606 sq. km.

149−151 Západné Tatry (the West Tatras), the second highest mountain range in Czechoslovakia, marked for its conspicuous sinuous ridge of a length of 35 km in which several peaks rise to a height of over 2,000 m above sea level; the West Tatras form a part of the Tatra National Park. The photographs show two panoramas of the mountains (the first with the characteristic community of Liptovský Trnovec) and an encounter with a chamois (rupicapra rupicapra tatrica) inhabiting the summits of the Tatras below Bystrá, the highest peak in the range − 2,248 m.

152 Demänovské jaskyne (the Demänovka Caves), the biggest cave system in Czechoslovakia, stretching across the northern side of the Nízke Tatry (the Low Tatras). The Demänovská jaskyňa Slobody (the Demänovka Cave of Freedom), the richest in stalagmite and stalactite decorations, is world-renowned. It consists of a multistoreyed labyrinth of passages and domes covering a total length of 7 km.

153−155 Nízke Tatry (the Low Tatras), a landscape whole forming a protected territory in the Fatra-Tatra region, proclaimed a national park covering an area of 811 sq. km, of importance from the cultural, scientific, water economy, health and tourist-recreation aspects. It has the best downhill runs for skiers in Czechoslovakia, especially in the environs of Chopok − 2,024 m. The photographs show the southern side of this mountain zone above the valley Bystrianska dolina and two views of the paradise for skiers on the northern side above the valley Demänovská dolina.

156 Vysoké Tatry (the High Tatras), the highest mountain range in Czechoslovakia and simultaneously the most important tourist region in the country with excellent conditions for high-mountain tourism, mountain-climbing, classical and partly also downhill skiing, recreation and climatic therapeutical treatment. Its protected territory has been proclaimed a national park of an area of 510 sq. km. The High Tatras are the only high-mountain range in Czechoslovakia and their highest peak is Gerlachovský štít − 2,655 m. The photograph shows the panorama of the mountains with the community of Štrba, the starting point for the western part of the High Tatras.

157 Vysoké Tatry (the High Tatras). This peak was once called Ded (Grandfather) and it was considered to be the highest peak in the Tatras. After being made accessible by the construction of an overhead cabin railway from Tatranská Lomnica, Lomnický štít, 2,632 m in height, became the most frequented peak in the Tatras.

158, 159 Vysoké Tatry (the High Tatras). The peaks in anticipation of winter and the ascent of one of them − Rysy − 2,499 m, a Czechoslovak-Polish border peak.

160, 163 Vysoké Tatry (the High Tatras). Two views of a fairy-tale landscape: the so-called Road of Freedom, an important communication linking all the Tatra communities, and the pastoral below the Tatras.

161, 162 Belianske Tatry (the Belá Tatras), a part of the East Tatras in the system of the Inner West Carpathians, ranked in the Tatra National Park. The main ridge, rising most conspicuously above the characteristic community of Ždiar, is 14 km long and most picturesque in its western part with a landmark in the form of the peak Ždiarska vidla (Ždiar Fork) — 2,152 metres above sea level. The photographs show the panorama of the mountains in early evening and the centre of the former spa community of Ždiar, now transformed into the biggest tourist accommodation centre in the Tatras.

164 Pieniny, a mountain landscape whole in the region of the Východné Beskydy (the Eastern Beskids) through which the River Dunajec flows. The photograph shows the river with the cliffs Tri koruny (Three Crowns) on Polish territory. The River Dunajec is the main river (used for sports and recreation purposes) running through the Pieniny National Park, a protected territory covering 21 sq. km and forming the Czechoslovak-Polish state border over a distance of 17 km.

165 Levoča, a town at the foot of the hills called Levočské vrchy, world-renowned for the activity of the workshop of Master Pavol, whose work along with St. James's Church is a national cultural monument. The historical core of the town has been proclaimed a historical town reserve.

166 Spišské Podhradie, a small town in the valley Hornádska kotlina above which there are the ruins of Spiš Castle, a national cultural monument. This castle was one of the biggest in Central Europe and the biggest in Czechoslovakia, documented by written records of 1209. A part of the town — Spišská Kapitula — is a historical town reserve.

167 Slovenský raj (the Slovak Paradise), a landscape whole forming a part of the Spiš-Gemer Karst, a protected territory proclaimed a national park on an area of 141 sq. km. Quite unique and exceptionally attractive from the tourist viewpoint are especially its deep, narrow canyons and gorges, springs, plateaux and caves as well as its varied flora and fauna.

168 Bardejovské Kúpele, known already in the 13th century. This therapeutical and climatic spa is surrounded by the pine forests of Ondavská vrchovina (the Ondava Highland) and is known for its treatment of diseases of the alimentary and respiratory tracts.

169 Svidník, a town which played a big role in the Carpathian-Dukla military operation, one of the biggest battles on Czechoslovak territory. Apart from the open-air Dukla Military Museum, a national cultural monument, the Museum of Ukrainian Culture is also situated here.

170 Prešov, a town at the foot of Šarišská vrchovina (the Šariš Highland), known for being the scene of the proclamation in 1919 of the Slovak Republic of Councils, the first state of the dictate of the proletariate on Czechoslovak territory. The photograph shows the historical core of Prešov, proclaimed a historical town reserve.

171 Zemplínska šírava, a water reservoir at the foot of the Vihorlat Mountains which covers an area of 33.5 sq. km when its water is at its maximum height. It is a very popular national and international summer recreation centre.

172, 173 Košice, the political, economic, cultural, educational and scientific centre of the East Slovak region and the scene of the proclamation of the programme of the first government of the National Front of Czechs and Slovaks, known as the Košice Governmental Programme, in April 1945. The photographs show the panorama of the town with new housing construction and St. Elizabeth's Cathedral, the biggest church and the most outstanding work of Gothic architecture in Slovakia. National cultural monument.

174, 175 Anywhere. Two symbols of life, its beauty and survival.

La Tchécoslovaquie

PRÉFACE / Combien de visages ce pays a-t-il?

Il semble que la nature ait concentré ses efforts sur ce petit territoire au centre de l'Europe pour y travailler avec assiduité pendant des milliers d'années. Elle nous a légué un répertoire presque complet de toutes les formations et types de paysages depuis les plaines vertes et humides jusqu'aux hautes montagnes dramatiques déchiquetées. Même dans l'oeuvre humaine rien n'a été négligé. Dans les vallées, dans les plaines et sur les coteaux, des générations de constructeurs, de tailleurs de pierre, de maçons et de charpentiers, d'artisans et d'artistes du ciseau et du pinceau ont édifié des villes, des villages, des châteaux forts, des châteaux et de simples constructions qu'ils ont reliés par des chemins de pierre, d'asphalte et de fer. Le gothique majestueux, le baroque romain monumental, la renaissance lombarde et toscane, le rococo frivole et le noble empire ont pris racine sur nos places des villes et des villages. Vinrent enfin le fer et le béton, les buildings et les arches des ponts. En mille ans les habitations humaines sont devenues un amalgame remarquable du passé et du présent et tout le pays est devenu une sorte de réserve et monument d'architecture.

Malgré cela, le visage de ce pays n'est pas qu'un ensemble de paysages, villes, villages, châteaux forts et châteaux. Ce n'est pas non plus un atlas géographique ni une collection de musée. C'est quand on interpelle les paysages, lorsque la mémoire des villes et des villages fusionne avec les expériences du présent, que l'on peut donner un nom à ce pays. „Le paysage est l'image de l'âme", — disaient les romantiques et c'est comme s'ils avaient trouvé l'une des clés du rapport entre l'homme et le pays. Dans ce rapport, le sud de la Bohême cesse de n'être qu'une plaine d'étangs et de verdure, les Hautes Tatras cessent de n'être qu'une zone de hautes montagnes, pour devenir une partie de notre être, de nos expériences humaines, de nos sensations et sentiments. C'est quelque chose qui nous appartient et nous y sommes indéfectiblement attachés.

Pour Oldřich Karásek, la Tchécoslovaquie est en premier lieu un pays des gens. Comme protagoniste du pélerinage photographique conduisant de la Bohême jusqu'aux fins fonds de la Slovaquie, il a choisi l'homme qui marche, roule, navigue et vole. L'homme en mouvement, tel que ce siècle le porte dans son emblème. Cette fois-ci, même ce pays l'aura dans son emblème. Parfois comme sa dominante, d'autres fois comme une pointe colorée des panoramas et motifs typiques des villes et des paysages tchèques, moraves ou slovaques. Les promeneurs à pied, à bicyclette, en canoë, à skis et aussi en deltaplane nous signalent l'heure exacte du présent tchécoslovaque. Là où l'on ne les rencontre pas, on verra au moins leurs couleurs flotter au vent. Ce sont les couleurs du temps présent, avec lesquelles Oldřich Karásek peint le tableau de son pays, à la place des couleurs brunes estompées d'anciens maîtres ou des brouillards colorés selon leur humeur. C'est pour que le langage de telles couleurs libère les silhouettes anciennes des villes de leur brume nostalgique du passé et qu'il en fasse à nouveau des images contemporaines. C'est pour que le langage de la lumière illumine les façades des palais et des cathédrales, les murailles des châteaux forts et les blocs des nouveaux quartiers d'habitation et qu'ils se joignent à ceux qui marchent, roulent, voguent ou volent.

Déjà dans ses panoramas et ses images photographiques des villes européennes et surtout de nos capitales, Oldřich Karásek a prouvé qu'il n'avait pas honte de ce siècle et qu'il n'avait pas l'intention de le cacher derrière les coulisses gothiques ou baroques. Au contraire, connaissant le mystère et les charmes de leur métaphore, il les insuffle dans les rues anciennes, dans les forêts et dans les montagnes immobilisées dans la monumentalité de la nature éternelle et les transforme en une image vivante de la coexistence des siècles. Il ne photographie pas seulement pour décrire, mais pour nous convaincre de la richesse des phénomènes intérieurs cachés sous la surface des formes extérieures du monde visible. Ce sont des événements, des mouvements et des rythmes qui semblent scintiller dans les couleurs et les lumières des photographies de Karásek.

Que la Tchécoslovaquie prospère sous le drapeau des deltas dans le ciel bleu et des voiliers sur l'eau bleue.

Que les signes de l'homme aux cent couleurs brillent sur son blason.

JOSEF BRUKNER

LÉGENDES DES PHOTOGRAPHIES

Page de garde de la jaquette : La cathédrale Saint-Guy, une partie du Château de Prague, monument culturel national.

Dos de la jaquette : Le mont Kriváň dans les Hautes Tatras, 2494 m, sommet symbolique de l'unité des Slaves et de la liberté des Slovaques.

1 Les Hautes Tatras, Štrbské Pleso (cf. pp. 156–163).

2 Un pré fleuri.

3 Karlstein, le plus important château de Bohême, fondé par Charles IV pour abriter les joyaux de la couronne. Construit de 1348 à 1357. Reconstruit en style Renaissance, puis de nouveau en style gothique à la fin du 19e siècle.

4 Les Monts de la Bohême centrale, Raná (457 m). Le sommet non boisé de schiste près de Louny, frappant, attire notamment les enthousiastes du delta (cf. pp. 73, 74).

5 Les Basses Tatras, Jasná (cf. pp. 153–155).

6 Le lac Mácha, à l'origine Velký rybník (grand étang) (280 ha). C'est aujourd'hui un site de villégiature au nord de la Bohême. Il inspira le poème le plus célèbre du romantisme tchèque, Le Mai de Mácha (1836).

7 Les Hautes Tatras, le chemin vers le mont Kriváň (dernière page de la jaquette et cf. pp. 156–163).

8 Le lac de barrage de Jesenice (746 ha) à l'est de Cheb, utilisé à des fins industrielles, mais qui sert aussi pour la pratique des sports nautiques.

9 Liptovský Mikuláš, le stade des sports nautiques.

10 Prague, capitale de la Tchécoslovaquie, est l'une des plus attrayantes villes d'Europe. Ses quartiers historiques, surtout Staré Město (La Vieille Ville) et Josefov, Malá Strana (Le Petit Côté) avec les Hradčany comprennent 16 bâtiments et complexes historiques et d'art, faisant partie des principaux monuments culturels nationaux (cf. pp. 11, 13–17, 21). Parmi les dizaines d'autres monuments on remarque la cathédrale baroque Saint-Nicolas dans le quartier de Malá Strana, construite au cours des années 1704–1755 par les frères Dientzenhofer et Lurago.

11 Depuis la fin du 9e siècle, le Château de Prague fut témoin des couronnements des rois de Bohême qui y avaient leur résidence. Le château connût son plus grand épanouissement à l'époque de Charles IV, puis sous Vladislav Jagellon et sous Rodolphe II. Nombre d'aménagements et de recherches archéologiques datent de la période d'après-guerre.

12 Prague, le stade de natation de Podolí, construit au cours des années 1959–1965; il comprend 3 piscines, un gymnase, un terrain de sports, une plage, etc.

13 Le Théâtre national a été construit grâce aux dons et collectes du peuple au cours des années 1868–1883. Après son inauguration provisoire en 1881, il a été la proie des flammes, mais a été rapidement reconstruit. En 1983, a été terminée sa reconstruction générale et une Nouvelle Scène a été construite à côté du bâtiment historique.

14–17 Prague, la Place de la Vieille Ville. A la fin du 10e siècle, il y avait un marché. Ce fut plus tard le centre d'une agglomération urbaine. A partir de la moitié du 14e siècle, y fut construite la cathédrale à trois nefs du Týn avec deux tours de 80 m de hauteur. La plus ancienne partie du complexe de l'hôtel de ville date de la moitié du 14e siècle. L'horloge sur la tour gothique a eu sa première forme en 1410. L'église Saint-Nicolas, datant des années 1732–1735, a été construite par K. I. Dientzenhofer. La statue de Maître Jean Hus, brûlé sur le bucher à Constance en 1415, est l'oeuvre de Šaloun et date de 1902–1915. Le Palais Goltz-Kinský date des années 1755–1765. Il a été construit par A. Lurago et sert de dépôt pour les collections graphiques de la Galerie nationale.

18 Les toits de Prague.

19 La construction moderne de l'hôtel Forum, terminée en 1988.

20 Prague, Štvanice, où se trouvent aujourd'hui les courts centraux de tennis. La construction date des années 1930–1932 et a été récemment reconstruite.

21 Le Pont Charles, ouvrage de Petr Parléř, commencé en 1357 et enrichi, plus tard, par un ensemble de sculptures de F. M. Brokoff, de M. B. Braun, etc. Il relie Staré Město (la Vieille Ville) à Malá Strana (le Petit Côté).

22 Prague sous le plateau de Barrandov, la partie sud de la ville dénommée selon le géologue français J. Barrande (1799–1883), qui y a prospecté les massifs de Bohême datant de l'ère primaire.

23 Mělník, chef-lieu de district au nord de Prague, au confluent de l'Elbe et de la Vltava. Le château princier d'origine date de la fin du 10e siècle. Reconstruit en style Renaissance au début du 18e siècle. Il abrite une exposition d'art baroque tchèque.

24 Paysage de la Bohême Centrale.

25 Konopiště, le château vu du Jardin des roses. Le château en style gothique primitif a reçu son aspect romantique actuel à la fin du 19e siècle. Il abrite les collections d'armes historiques. Il est entouré d'un parc anglais. Le Jardin des roses possède nombre de sculptures importées d'Italie.

26 Kutná Hora, la deuxième ville de la Bohême au 14e et au 15e siècles (mines d'argent). La cathédrale Sainte-Barbe a été construite à partir de 1388. Les derniers aménagements et travaux de construction datent du début du 20e siècle (v.t.p. 29).

27—28 Près de Čerčany.

29 Kutná Hora, vue générale, sur le chef-lieu de district d'aujourd'hui, dont le coeur est classé monument historique (Vlašský Dvůr — cour italienne, Kamenný dům — maison de pierre, nombre de constructions religieuses, surtout baroques), cf. 36.

30 Křivoklát a été construit dans les forêts de la Bohême centrale au début du 12e siècle comme pavillon de chasse en bois des princes de Bohême. Il a reçu son aspect gothique au 13e siècle, reconstruit depuis la fin du 19e siècle. Sur la photo, une troupe d'escrime historique.

31 Près de Konopiště (cf. p. 25).

32 Český Šternberk, à l'origine château gothique sur le cours central de la rivière Sázava. Il a été créé vers 1240. Plusieurs fois reconstruit. Les locaux intérieurs sont aménagés en équipements d'époque. Il abrite une collection de gravures de l'époque de la guerre de Trente Ans.

33 La Bohême du Sud (cf. pp. 33—47) attire les visiteurs par ses villes historiques, ses châteaux forts et châteaux et par son paysage typique parsemé d'étangs. L'aspect actuel du château de Hluboká date de 1841—1871 en style dit de „windsor". Le château possède un riche ameublement intérieur et une grande bibliothèque. Dans l'ancien manège, a été installée une galerie d'art gothique de la Bohême du Sud.

34 L'étang de Horušice près de Veselí nad Lužnicí est le 3e plus grand étang de Bohême (416 ha), fondé en 1511. Une partie de ses berges forment une tourbière, aujourd'hui la réserve naturelle de Ruda.

35 L'étang de Velký Tisý (317 ha) au nord-ouest de Třeboň a été terminé en 1505. C'est aujourd'hui une réserve, un endroit où nichent les oiseaux aquatiques.

36 La Vltava entre Český Krumlov (v.t.p.42) et le château de Rosenberg.

37 Tábor. En 1420, les Hussites de Žižka ont fondé, sur un éperon rocheux surplombant la rivière Lužnice, une ville fortifiée qui a subi une vaste reconstruction Renaissance au 16e siècle. Ville classée monument historique.

38 Le lac de barrage de Lipno dans le district de Český Krumlov constitue le premier étage de la „cascade de la Vltava" (cf.p.43). Il a été construit au cours des années 1950—1959 sur une superficie de presque 50 km², à une altitude de 720 m. Centrale électrique souterraine et site de loisirs.

39 Frymburk est une bourgade ancienne et un centre de villégiature sur les berges du lac de Lipno. L'église en style gothique tardif y a été construite vers 1530.

40 Český Krumlov, chef-lieu de district et ville classée la plus importante de la Bohême du Sud. Vaste château Renaissance, et aussi un grand ensemble de maisons historiques (Latrán).

41 České Budějovice, chef-lieu de département avec une grande place carrée et des maisons historiques avec des arcades. Dans un coin de la place se trouve la Tour noire de 72 m de hauteur en style gothique et Renaissance datant des années 1549—1578. L'hôtel de ville, Renaissance à l'origine, a été reconstruit en style baroque en 1727—1730. La fontaine Samson date de la même époque.

42 Rosenberg sur la Vltava, château avec une tour jacobine du début de la Renaissance et un château Dolní de date ultérieure reconstruit à la moitié du 19e siècle. Aménagement intérieur d'époque, salle d'exposition des tableaux baroques.

43 Les courants du Diable sur la Vltava, sentier abrupt, dans un défilé rocheux, de nos jours, sans eau la plupart du temps. L'eau passe par un tunnel souterrain vers la centrale électrique de Vyšší Brod.

44 Dépeuplement des étangs du sud de la Bohême, construits du 13e au 16e siècles, événement populaire de l'année en Bohême du Sud. L'étang de Rosenberg (489 ha), le plus grand en Bohême, a été construit sur la rivière Lužnice.

45 L'étang de Dehtář (246 ha), au nord-ouest de České Budějovice.

46 Près de Tábor (cf. 37).

47 Orlík sur la Vltava, château royal du 13e siècle, aujourdhui château Renaissance, restauré au 19e siècle. Salles de cérémonie de grande valeur au deuxième étage, etc.

48 Paysage des contreforts de la Šumava. Le piémont et notamment la chaîne de Šumava elle-même, de 125 km le long des frontières de la R.F.A. et de l'Autriche, est une région de Bohême recherchée par les touristes (cf. p.p.48—52).

49 La Šumava. La piste de descente à skis du Špicák (1202 m) fait partie des zones de loisirs des environs de Železná Ruda (lac Noir et lac du Diable, Pancíř).

50 La Šumava, sur la Vydra. La Vydra, petite rivière sauvage de montagne au lit rocailleux traverse une réserve naturelle.

51 Zadov-Churáňov (1 050 m), centre animé de sports d'hiver, particulièrement propice au tourisme à skis et au ski de fond.

52 Pancíř (1212 m), mont situé au nord-est de Železná Ruda avec un belvédère. Chalet touristique datant de l'année 1923, télésièges.

53 Les Monts Métallifères, Klínovec. Chaîne de montagnes de 130 km de long qui constitue la frontière nord-ouest entre la Bohême et la R.D.A.. Les forêts y sont fort endommagées par les émissions industrielles. Le plus haut sommet du massif, le Klínovec (1 244 m) est un centre recherché de tourisme et des sports d'hiver.

54 Crête typique des Monts Métallifères entre l'ancienne ville minière (aujourd'hui ville d'eaux) Jáchymov et le hameau Albertamy.

55 Františkovy Lázně dans la partie occidentale de la Bohême, ville fondée au 18e siècle de forme classique — aujourd'hui ville classée.

56 Mariánské Lázně, ville d'eaux fondée en 1805 est, entre autres, un centre de vacances des syndicats. Sa particularité est la Colonnade de Fonte datant de 1889 et la Source de la Croix.

57 Loket, forteresse médiévale et ancienne ville royale surplombant la rivière Ohře. Les premiers mentions du château remontent à 1239.

58 Karlovy Vary est la plus importante ville d'eaux en Bohême. Elle a été fondée dans la moitié du 14e siècle par Charles IV. Le plus grand développement de la ville d'eaux, où l'on soigne surtout les maladies de l'appareil digestif, date de la seconde moitié du 19e siècle.

59 Karlovy Vary des dernières décennies est caractérisée par un complexe de maisons de cure Thermal (sur la photo) et par la Colonnade Gagarine.

60 Plzeň. L'hôtel de ville de ce chef-lieu du département de la Bohême occidentale est de style Renaissance (1554—1558). Il a été rénové au début de 20e siècle.

61 Cheb, l'une des plus importantes villes médiévales de Bohême. Sur la Place Georges de Poděbrady se trouve, entre autres, un ensemble de 11 maisons de marchands appelé Špalíček (pâté de maisons) datant de l'année 1400. La cité historique est une zone classée monument historique.

62 Děčín, chef-lieu de district industriel sur l'Elbe, non loin de la frontière de la R.D.A.. Il est surplombé d'un château Renaissance et baroque avec un Jardin de roses. Château roman des Przemyslides à l'origine.

63 Près de Hřensko. Les beautés naturelles de la région appelée Suisse bohémo-silésienne attiraient les touristes déjà au début de 19e siècle. Citons notamment les Gorges de Kamenice, dont la plus belle partie a été rendue navigable et enjambée de galeries.

64 La Porte de Pravčice, à l'est de Hřensko, est un pont de grès bizarre d'une longueur de 30 m et d'une hauteur de 20 m.

65 Jablonec nad Nisou, chef-lieu de district aux limites sud des monts Jizerské hory, connue pour sa fabrication de bijouterie (il s'y trouve aussi un musée). Sa tradition verrière date du 16e siècle.

66 Bedřichov dans les monts Jizerské hory (707 m), centre de villégiature, commune ayant une ancienne tradition verrière.

67 Ici jaillit l'eau potable. Motif des forêts des monts Jizerské hory fort endommagées par les émissions.

68 Les 50 km des monts Jizerské hory — mémorial de l'expédition au Pérou. C'est la plus grande compétition de ski de fond en Tchécoslovaquie qui se déroule avec la participation d'environ 7 000 skieurs (les hommes sur 50 km, les femmes sur 20 km).

69 Au sommet du mont Ještěd (1 012 m), au sud de Liberec, une tour de télévision de 100 m de haut avec un hôtel a été construite au début des années soixante-dix.

70 Hazmburk, ruines du château gothique aux limites sud du Massif de Bohême. Réserve, panorama circulaire.

71 Au cours des dernières décennies, les cygnes ont enrichi la faune de Bohême.

72 Říp (456 m), colline de légende au nord de Prague, choisie par l'aïeul du peuple tchèque, Čech, pour s'y installer avec sa tribu. Dominante sur la plaine de l'Elbe. Au sommet se trouve une rotonde romane datant de 1126. Depuis 1848, y ont été organisées nombreux rassemblements populaires importants.

73, 74 Au-dessus du Massif de Bohême. Les vents favorables attirent les Icares modernes dans cette région.

75 Les Monts des Géants, massif au nord de la Bohême, le seul parc national en Bohême (cf.pp. 76—79), aujourd'hui sérieusement menacé par les émissions industrielles. Dans la partie occidentale de la chaîne frontalière s'est conservé un chalet de montagne original Dvoračky, offrant une vue très loin au sud.

76 La chaîne des Monts des Géants en hiver.

77 Pec pod Sněžkou (769 m), commune de montagne, centre des sports d'hiver dans la partie orientale des Monts des Géants. Le nom provient des forges pour le traitement des minerais (16ᵉ—19ᵉ siècles).

78 Špindlerův Mlýn (718 m), ville de montagne, centre des sports d'hiver dans la partie centrale des Monts des Géants. Le hameau minier Svatý Petr (Saint-Pierre) date du début du 16ᵉ siècle. On y trouve des terrains de ski et des pistes de descente.

79 Harrachov (686 m), ville de montagne, centre des sports d'hiver dans la partie occidentale des Monts des Géants. Bien connue pour ses tremplins de saut à ski, mais aussi pour sa tradition verrière.

80 Hradec Králové, chef-lieu de département de la Bohême de l'Est. Sur la place Žižka, la cathédrale gothique Saint-Esprit datant du 14ᵉ siècle attire particulièrement l'attention et à côté d'elle, la Tour blanche, haute de 68 m, construction en grès de style gothique et Renaissance datant de la fin du 16ᵉ siècle.

81 L'architecture populaire. On retrouve les ensembles complets d'architecture populaire en Bohême au piémont des Monts des Géants et des monts Orlické hory.

82 Litomyšl, ville de la Bohême de l'Est avec une cité classée monument historique (sauvegardée). La place rectangulaire et le château Renaissance sont particulièrement intéressants.

83 Trosky, une partie inséparable du panorama du Paradis de Bohême. Vestiges d'un château de la 2ᵉ moitié du 14ᵉ siècle construit sur deux sommets de la coulée de basalte, Panna et Baba. Panorama circulaire.

84 Prachovské skály, vaste ville de rochers de grès au nord-est de la Bohême. Elle a été créée par l'érosion des dépôts de grès d'une ancienne mer. Très attrayante pour les touristes et les alpinistes.

85 Rozkoš, lac de barrage (10 km²) au nord-est de la Bohême, près de Náchod. Il sert à l'irrigation et aux sports nautiques.

86 Le Grand Steeple-chase de Pardubice a lieu tous les ans depuis 1846. Il compte aujourd'hui 39 obstacles (entre autres le célèbre fossé Taxis) sur une longueur de 6 900 mètres. L'une des plus difficiles courses hippiques sur le continent européen.

87 Brno, chef-lieu de département de la Moravie du Sud, centre industriel et culturel de la Moravie (cf.pp. 88—90). Sur la première photographie, le lac de barrage de Brno.

88 Le parc d'exposition de Brno a obtenu son premier aspect en 1928. Toute une série de foires (des constructions mécaniques, des produits de consommation, etc.) y sont organisées aujourd'hui.

89 Brno, Petrov. Aspect néo-gothique actuel de la cathédrale Saint-Pierre et Paul sur la colline de Petrov datant des années 1880—1910.

90 Brno, place au centre de la ville particulièrement intéressante pour sa fontaine baroque Parnas, construite en 1693—1695.

91 Lac de barrage de Vír sur la Svratka, au nord-ouest de Brno. Il a été construit en 1947—1957. Sert de réserve d'eau potable.

92 Le Karst morave, Macocha. Ce gouffre de 138 m de profondeur peut être visité depuis Horní Můstek ou des cavernes du relief karstique de la Punkva en barque.

93 Telč. La place de cette ville-musée est constituée par un ensemble unique de maisons gothiques, baroques et Renaissance.

94 Les Hauteurs tchéco-moraves. Veselý kopec, partie de la commune de montagne Vysočina, constitue un musée en plein air.

95 Kroměříž, chef-lieu de district avec un château baroque, ville-musée. Le jardin de fleurs conçu dans le style français date des débuts du baroque. Sa colonnade actuelle comprend un pavillon central.

96 Náměšť nad Oslavou, château Renaissance aménagé en baroque. Il abrite de rares tapisseries à l'intérieur. Le parc du château est peuplé de chênes centenaires.

97 Olomouc, chef-lieu de district de la Moravie, ville-classée. La Place de la Paix avec son ancien hôtel de ville avec horloge et son groupe de statues monumentales baroques.

98 Kopeček, commune au nord-est d'Olomouc, aujourd'hui quartier de cette ville. A la fin de 17ᵉ siècle, y a été construit dans une position dominante une église de pélerinage, reconstruite plus tard.

99 Jeseníky, vastes chaînes de montagnes au nord-ouest de la Moravie (v.t.p. 100, 102). Petrovy Kameny, restes de rochers du sommet dans la partie centrale, la plus élevée de la chaîne. Tissée de légendes sur le sabbat.

100 Jeseníky. Vallée de la Bílá Opava (Opava blanche) avec nombre de rapides et de chutes constitue aujourd'hui une réserve naturelle remarquable.

101 Le nord de la Moravie.

102 Jeseníky, le Mont Praděd (1 492 m), le plus haut sommet de Hrubý Jeseník et de Moravie. Emetteur de télévision, belvédère.

103 L'hiver sous les Javorníky, dont la chaîne continue constitue une partie de la frontière entre la République tchèque et la République slovaque. Le sommet le plus élevé est le Javorník (1 071 m).

104 Les Beskydes moravo-silésiennes, massif déchiqueté au nord-est de la Moravie. Le plus haut sommet est le mont Lysá hora (1 324 m). Le mont Pustevny (1 018 m) avec des constructions pittoresques de chalets touristiques de montagne.

105 Panorama sur le mont Radhošť dans les Beskydes (1 129 m) avec au sommet, la chapelle Cyril et Méthode vue depuis la selle de montagne Bumbálka.

106, 107 Rožnov pod Radhoštěm, musée valaque dans la nature. En 1925, dans la région pittoresque valaque de Rožnov a été fondé un musée en plein air remarquable. Dans la ville, on fabrique aujourd'hui des produits électrotechniques.

108 Napajedla, le haras. Dans cette ville de Moravie centrale, un haras dans lequel on élève des pur-sang anglais a été fondé déjà en 1882.

109 Buchlovice. Petite ville de Moravie du Sud avec un château baroque du 17ᵉ siècle, auprès duquel a été fondé plus tard un vaste parc.

110 Le défilé des rois en Slovaquie morave. Nombre de villages de Moravie du sud-est ont conservé leurs anciennes coutumes et leurs riches costumes populaires. Les plus grandes fêtes folkloriques ont lieu chaque année à Strážnice.

111 Bítov, château fort surplomban[t] le barrage actuel de Vranov. Il a été créé au 11ᵉ siècle et a subi tous les styles de construction. Son aspect actuel est néo-gothique.

112 Vranov, château baroque sur la rivière Dyje, construit comme château fort médiéval entre le 11ᵉ et le 12ᵉ siècle. Le bâtiment central de forme ovale donne la silhouette de la salle dite „Salle des ancêtres".

113 Le moulin près de Vranov. En Moravie du Sud, on peut trouver nombre de moulins à vent encore bien conservés, le plus souvent en maçonnerie, de type hollandais.

114, 115 Lednice. L'aspect néo-gothique d'aujourd'hui du château de Lednice date de la moitié du 19ᵉ siècle. Le château possède de riches sculptures sur bois, des collections d'armes, de porcelaine et des trophées de chasse. Le parc du château a reçu son aspect romantique d'aujourd'hui avec nombre d'autres constructions et un étang au début du 19ᵉ siècle.

116 Bratislava, capitale de la République slovaque. Son centre politique, économique, culturel, scolaire, scientifique et sportif. Sa cité historique, qui compte 359 rares édifices classés monuments historiques a été proclamée zone classée monument historique. De nouvelles constructions de valeur ont grandi derrière la cité historique: les bâtiments des entreprises, les buildings des nouveaux quartiers, les arcades des complexes de sport, le visage moderne de la capitale du pays. Sur la photo, la fontaine en cascade Amitié. Son centre est une fleur de tilleul d'un diamètre de 9 m et d'un poids de 12 tonnes, reposant sur un pilier au milieu d'un bassin circulaire de 45 m de diamètre.

117 Bratislava. Le pont de l'Insurrection nationale slovaque, en acier, à deux tabliers, suspendu par câbles, avec un seul pylône incliné, se terminant par le café à vue panoramique Bystrica.

118 Bratislava. L'hôtel Kiev et le grand magasin Prior sur la Place de Kiev constituent un vaste complexe et l'une des principales places du centre commercial et de société de la ville.

119 Bratislava. Panorama de la ville le soir, avec la dominante du Château, monument culturel national.

120 Bratislava. La partie la mieux conservée du système des remparts de la ville autour de la Porte St. Michel créée au 14ᵉ siècle. Elle fait partie des vestiges les plus importants des fortifications médiévales de la ville. La tour abrite actuellement une exposition du Musée municipal.

121 Bratislava. C'est ainsi qu'elle restera dans le souvenir de chaque visiteur : avec son château, la cathédrale Saint-Martin, le Danube avec le Pont de l'Insurrection nationale slovaque.

122 Bratislava. La place, bordée d'un rectangle de grandioses blocs de bâtiments, un de style baroque et trois contemporains, avec la dominante de la Fontaine de l'Amitié.

123 Bratislava. Sur la rive droite du Danube s'étend le plus grand quartier de Bratislava-Petržalka. Au cours des 15 dernières années, 150 000 habitants y ont trouvé un nouveau foyer.

124 Devín. Ruines du château, monument culturel national au confluent de la Morava et du Danube. La plus importante fortification à la frontière de l'Etat depuis l'époque de l'Empire de la Grande-Moravie.

125, 126 Piešťany. Le complexe de la maison de cure Balnea Grand sur l'Ile des bains et le Pont de la colonnade dans cette ville d'eaux de renommée mondiale dans la vallée du Váh. On y soigne particulièrement les maladies des organes locomoteurs.

127 Trenčianske Teplice. Le vestiaire Hamman dans la maison de cure Sina dans l'aire de l'importante station balnéaire dans les monts Strážovské vrchy pour le traitement des organes locomoteurs.

128 Nitra. Château construit au 11e siècle comme lieu fortifié de l'Empire de la Grande-Moravie, résultat des activités de construction et d'art de plusieurs siècles. Monument culturel national.

129 Bojnice. Le château fort d'origine, dont une mention écrite, comme centre des propriétés royales en Haute Nitra, remonte à l'année 1113. Au début de notre siècle, il a été reconstruit en château de plaisance. Monument culturel national.

130 Le château de Trenčín. Mentionné par les chroniqueurs déjà au 11e siècle. Au début du 14e siècle, c'était la résidence de l'oligarque Mátúš Čák de Trenčín qui régnait sur presque tout le territoire de la Slovaquie. Monument culturel national.

131 Vršatec. Ruines du château dans les Carpates Blanches, la chaîne des Carpates Occidentales Extérieures aux limites de la Slovaquie et de la Moravie. Il faisait partie du système des châteaux de guet du royaume.

132 Beckov. Ruines du château aux pied de Považský Inovec, fondé comme forteresse frontalière au 12e siècle. Il a résisté aux incursions turques en 1599. Monument culturel national.

133 Martin. Vue de l'aire du Musée d'architecture populaire en plein air, en cours de construction sur une superficie de presque 100 ha. Il représentera toutes les régions de la Slovaquie avec 240 constructions.

134 Martin. La statue symbolisant la Matica slovenská (association pour la promotion de la culture slovaque). Institution traditionelle qui devient le siège de la Bibliothèque nationale et de la Bibliothèque centrale, de la Bibliographie et de la biographie nationales, abri des collections les plus précieuses de la culture nationale.

135 Banská Bystrica. Ancienne ville royale libre et cité minière. A l'époque de l'Insurrection nationale slovaque, c'était son Centre. Actuellement, c'est le centre politique, économique et culturel de la région de la Slovaquie centrale. La cité historique est une zone classée.

136 Zvolen. Panorama de la ville avec le château, construit au 14e siècle comme résidence royale d'été. Actuellement, après sa reconstruction, il sert d'exposition et de dépôts d'oeuvres d'arts à la Galerie nationale slovaque. Monument culturel national.

137 Banská Štiavnica. Ancienne ville pittoresque sur les coteaux des monts Štiavnické vrchy. Importante ville minière européenne avec des Ecrits sur l'extraction minière datant de 1075. La cité historique est classée monument historique.

138 Kremnica. Ancienne ville minière et siège de l'Hôtel de la Monnaie construit en terrasses sur les coteaux des monts Kremnické vrchy surplombée par le complexe du château de la ville datant des 14e–15e siècles. La cité est classée monument historique.

139 Kraľovany. Confluent de l'Orava et du Váh près de la commune; carrefour des chemins menant dans la Grande Fatra et dans la Petite Fatra.

140 Terchová. Statue du brigand légendaire Juraj Jánošík, né dans cette ville. C'est la dominante de cette importante localité éthnographique et centre de tourisme dans la partie nord de la Petite Fatra.

141–143 Vrátna dolina. Une des plus belles vallées de la Slovaquie. Centre touristique et des sports d'hiver d'importance internationale dans le Parc national de la Petite Fatra. Sur les photos, les canyons étroits de Tiesňavy, donnant accès à la vallée; Veľký Rozsutec — sommet pittoresque se dressant au-dessus du hameau de montagne de Štefanová à une altitude de 1610 m et une des bizarres formations rocheuses appelée Mních (le moine).

144 Orava. Le lac de barrage aux pieds de la Oravská Magura. Il s'étend sur une superficie de 35 km^2. Il a été terminé en 1953 comme l'un des premiers grands chantiers d'après guerre et il est devenu, petit à petit, un centre de repos idéal en été.

145 Le château d'Orava. Monument culturel national. Il se dresse sur un rocher de 112 m surplombant la rivière Orava. Son existence est confirmée par un manuscrit datant de 1267. Il occupe trois terrasses rocheuses reliées par un système de remparts et de bastions. Actuellement, après une vaste reconstruction, une partie du château a été aménagée en musée éthnographique.

146, 147 Liptovská Mara. Lac de barrage dans la cuvette au pied des Tatras occidentales d'une superficie de presque 27 km^2. Il permet une meilleure utilisation de la houille blanche dans les 15 centrales hydroélectriques construites en cascade sur le Váh. Sur ses berges nord a été aménagé un centre de sports nautiques et de loisirs.

148 La Grande Fatra. Du point de vue touristique, c'est l'une des plus importantes chaînes de montagne de la Slovaquie avec d'excellentes pistes de descente surtout dans la région de la commune minière Donovaly. C'est une région naturelle sauvegardée d'une superficie de 606 km^2.

149–151 Les Tatras Occidentales. La seconde plus grande chaîne de montagnes en Tchécoslovaquie. Elle est typique pour sa crête sinueuse d'une longueur de 35 km. Plusieurs de ses sommets dépassent l'altitude de 2 000 m. Les Tatras Occidentales font partie du Parc national des Tatras. Sur les photos, deux panoramas de ces montagnes : la première montre la commune pittoresque de Liptovský Trnovec, et une rencontre avec un chamois des Tatras (rupicapra rupicapra tatrica) sous le Bystrá, le plus haut sommet de cette chaîne de montagne – 2 248 m.

152 Les grottes Demänovské jaskyne. Dans la partie nord des Basses Tatras, on s'étend le plus vaste système de grottes en Tchécoslovaquie, dont la Grotte de la Liberté de Demänovka, la plus riche en stalactites et stalagmites, a acquis une renommée mondiale. Elle est constitué d'un labyrinthe de galeries et de dômes s'étendant sur plusieurs étages d'une longueur totale de 7 km.

153–155 Les Basses Tatras. Toute cette zone montagneuse dans la région des Fatras et des Tatras est une réserve — Parc national — sur une superficie de 811 km^2. Importance culturelle, scientifique, pour l'aménagement des eaux, la santé publique et, notamment pour le tourisme et le repos, avec les meilleurs terrains de ski en Tchécoslovaquie surtout dans la région de Chopok (2 024 m d'altitude). Sur les photos, le coté sud dominant la vallée Bystrianska dolina et deux vues sur le paradis des skieurs sur le côté nord au-dessus de la vallée Demänovská dolina.

156 Les Hautes Tatras. La plus haute chaîne de montagne de la Tchécoslovaquie et, actuellement, le plus grand centre de tourisme dans le pays, avec de remarquables conditions pour le tourisme en haute montagne, l'alpinisme, le ski nordique et de descente, le repos et les cures climatiques. Zone réserve, proclamée parc national, sur une superficie de 510 km^2. Ce sont les seules hautes montagnes tchécoslovaques, dont le plus haut sommet est le pic Gerlach (2 655 m). Sur la photo, panorama de la chaîne de montagnes avec la commune de Štrba, point d'accès à la partie occidentale des Hautes Tatras.

157 Les Hautes Tatras. Autrefois, on l'appelait Ded (grand-père) et on le considérait comme le plus haut sommet des Hautes Tatras. Après avoir été rendu accessible par un téléphérique depuis Tatranská Lomnica, le pic Lomnický štít (2 632 m) est le sommet des Tatras le plus fréquenté.

158, 159 Les Hautes Tatras. Les cîmes à l'approche de l'hiver et la descente de l'un d'eux – le pic Rysy, aux frontières tchécoslovaco-polonaises (2 499 m).

160, 163 Les Hautes Tatras. Deux vues sur un paysage de conte de fée: route de la Liberté, importante voie de communication reliant tous les hameaux des Tatras et Pastorale des contreforts des Tatras.

161, 162 Les Tatras Belianske. Partie des Tatras Orientales dans le système des Carpates Occidentales Intérieures, incluse dans le Parc national des Tatras. La crête principale, se dressant au-dessus de la commune typique de Ždiar, est longue de 14 km avec son sommet dominant le plus pittoresque Ždiarska vidla dans sa partie occidentale (2 152 m). Sur les photos, panorama des montagnes le soir et centre de l'ancienne commune perdue dans la montagne. Ždiar, transformée actuellement en plus grand établissement d'hébergement touristique des Tatras.

164 Les Pieniny. Massif montagneux dans la partie des Beskydes orientales, traversée par la rivière de montagne Dunajec. La photo le représente avec les rochers des Trois couronnes déjà en territoire polonais. Le Dunajec est la principale voie de communication du Parc national des Pieniny, réserve s'étendant sur une superficie de 21 km^2, constituant la frontière tchécoslovaco-polonaise sur une longueur de 17 km.

165 Levoča. Ville au pied des monts Levočské vrchy, mondialement connue par l'atelier de gravure sur bois du célèbre Maître Pavol, dont l'oeuvre, ainsi que l'église Saint-Jacques, sont proclamées monument culturel national. La cité de Levoča est classée monument historique.

166 Spišské Podhradie. Petite ville de la cuvette du Hornád, au-dessus de laquelle se dressent les ruines du château de Spiš, monument culturel national, l'un des plus vastes châteaux en Europe centrale et le plus grand en Tchécoslovaquie, dont les mentions écrites remontent à l'année 1209. Une partie de la ville — Spišská Kapitula (Capitole) — est classée monument historique.

167 Le Paradis slovaque. Sous-ensemble territorial du karst de Spiš-Gemer. Réserve proclamée Parc national d'une superficie de 141 km^2. Uniques en leur genre et particulièrement attrayantes pour les touristes sont les canyons et les ravins étroits, les entonnoirs et les résurgences, les plateaux et les grottes ainsi que la flore et la faune très riches.

168 La ville d'eaux de Bardejov. Elle était connue déjà au 13e siècle. Cette ville d'eaux curative et climatique est entourée par les conifères du massif Ondavská vrchovina; les maladies de l'appareil digestif et des voies respiratoires y sont soignées.

169 Svidník, la ville. Monument de l'opération militaire des Karpates et de Dukla, l'une des plus grandes batailles sur le territoire de la Tchécoslovaquie au cours de la Seconde Guerre mondiale. A côté du Musée militaire de Dukla en plein air, monument culturel national, se trouve aussi le Musée de la culture ukrainienne.

170 Prešov. Ville aux pieds du massif Šarišská vrchovina, connue par la proclamation de la République slovaque des Conseils en 1919, le Premier Etat de dictature du prolétariat sur le territoire de la Tchécoslovaquie. Notre photo représente la cité classée monument historique.

171 Zemplínska šírava. Lac de barrage aux pieds des Monts Vihorlat, s'étendant, à son niveau maximum, sur une surface de 33,5 km^2. C'est un endroit recherché de loisirs tchécoslovaque et international.

172, 173 Košice. Centre politique, économique, culturel, scolaire et scientifique de la région de la Slovaquie de l'Est, lieu de la proclamation du programme du premier gouvernement du Front national des Tchèques et des Slovaques en avril 1945, connu sous le nom „Programme gouvernemental de Košice". Sur les photos, le panorama de la ville, de ses nouveaux quartiers et du dôme Sainte-Elisabeth, la plus grande cathédrale et la plus importante oeuvre gothique en Slovaquie, monument culturel national.

174, 175 N'importe où. Deux symboles de la vie, de sa beauté et de sa continuité.

Checoslovaquia

¿CUÁNTAS CARAS TIENE ESTE PAÍS? / La naturaleza nos obsequió un repertorio abundoso de diferentes configuraciones topográficas, desde cuencas verdes, floridas, hasta sierras dramáticamente quebradas. Fue, como si ella hubiera concentrado toda su potencia creativa en un territorio no muy extenso en el corazón de Europa y hubiera trabajado miles de años con diligencia.

Ni siquiera en la obra de la mano del hombre hubo algún descuido por estos lares. Generación tras generación de arquitectos, tallistas, albañiles, ebanistas, artesanos y artistas de la añeta y del pincel levantaron en los valles, llanos y colinas las ciudades, aldeas, castillos, palacios y casas rústicas y los conectaron entre sí por medio de caminos de piedra, asfalto y hierro. El gótico majestuoso, el renacimiento lombardo y toscano, el barroco romano monumental, el rococó frívolo y el imperio noble fueron domeñados en las plazas de nuestras ciudades y aldeas. Finalmente llegó el hierro y el mortero, los edificios empinados y ojos de puentes. Las moradas humanas se hacinaron en el transcurso de mil años fundiéndose el presente con el pasado y el país se convirtió todo, en una reserva del paisaje y de la arquitectura.

Sin embargo la imagen de este país no es sólo un conjunto de regiones, ciudades, aldeas, castillos y palacios, un atlas geográfico o colección de museo. Tan sólo cuando las regiones resuenan con lengua humana, y la memoria de las ciudades y aldeas se funde con el presente, surge un país que tiene su nombre propio. "La región es reflejo del alma" solían decir los románticos y tal vez hallaron la clave de la relación entre el hombre y el país: una en la que el Mediodía de Bohemia deja de ser nada más una cuenca verde, rica en aguas, y las Altas Tatras sólo montañas elevadas, y se convierten ambos en una parte inseparable de nuestro propio ser, de nuestra experiencia humana, de nuestras sensaciones y sentimientos; en algo, que pertenece a todos nosotros y con lo que estamos emparentados irrevocablemente.

También para Oldřich Karásek Checoslovaquia es, sobre todo, el país de su gente. Eligió al hombre como protagonista de su peregrinación fotográfica desde Bohemia hasta el confín de Eslovaquia, hombre que camina, boga, vuela y viaja. El hombre en acción que es característico de este siglo actual, representa a este país a veces como una imagen dominante, otras veces como un punto de color en vistas panorámicas y motivos de las ciudades y del país netamente checos, moravos y eslovacos. Un caminante, ciclista, esquiador, canoista y deportista con alas delta nos marca el ritmo del presente de Checoslovaquia. Allá donde no los encontramos estarán por lo menos sus colores. Colores del presente en los que plasma Oldřich Karásek la imagen de su país, en vez de en tonos sepia opacos o tonos nebulosos. La razón que le impulsa es que el hablar con tales colores dèspoja las viejas siluetas de las ciudades de su nostálgica neblina antigua y las convierte en nuestras contemporáneas. Así el lenguaje de la luz ilumina las fachadas de los palacios, de las catedrales y murallas de los castillos y barrios con acantilados formados por los esbeltos edificios multifamiliares y los reúne al hombre que camina, viaja, boga y vuela.

Ya en sus vistas panorámicas y cuadros fotográficos de las ciudades europeas y sobre todo en las de nuestra capital mostró Oldřich Karásek que no siente vergüenza de pertenecer a este siglo y que no lo va a enmascarar tras las decoraciones góticas o barrocas. Al contrario, conoce el secreto y encanto de sus metáforas y las coloca en las calles antiguas, en los bosques y montañas con la estática monumentalidad imperecedera de la naturaleza y la transforma en una imagen fértil de la coexistencia de los siglos. Fotografía no sólo para describir, sino para persuadirnos de la riqueza de los acontecimientos internos que discurren bajo la superficie de las formas del mundo visible, acontecimientos, movimientos y ritmos que parecen como si fosforecieran en colores y luces en las tomas de Oldřich Karásek.

Que siga floreciendo la Checoslovaquia bajo las banderas de las alas delta sobre el cielo azul y de las velas de los veleros sobre el agua azul. Que el emblema del hombre siga brillando en su escudo.

JOSEF BRUKNER

LEYENDAS DE FOTOGRAFÍAS

Cubierta: Catedral de San Vito, forma una parte del Castillo de Praga, monumento nacional de la cultura.

Contracubierta: Kriváň en Vysoké Tatry (Altas Tatras), 2.494 m, montaña que simboliza la unidad de los eslavos y la libertad de los eslovacos.

1 Altas Tatras, Štrbské Pleso (véanse fotos 156–163).

2 Prado florecido.

3 Karlštejn, el castillo checo de mayor importancia, fundado por Carlos IV para guardar las joyas de la corona. Construido en los años de 1348–1357, reconstruido en estilo renacentista y a fines del siglo XIX regotizado.

4 České středohoří, Raná (457 m). Una cima de basalto sin vegetación que llama la atención cerca de la ciudad Louny y atrae a los deportistas de alas delta (véanse 73, 74).

5 Nízke Tatry (Bajas Tatras), Jasná (véanse 153–155).

6 Máchovo jezero, originalmente llamado Velký rybník (280 ha). Hoy día es un lugar de recreo en la superficie acuática, en la parte Septentrional de Bohemia. De este rincón se escribe en el poema Máj (Mayo) de K. H. Mácha, la obra más importante del romanticismo checo.

7 Altas Tatras, camino a Kriváň (véanse también contracubierta y 1, 156–163).

8 Presa Jesenická (746 ha), al Oriente de la ciudad Cheb cubre las necesidades de la industria y a la vez sirve para practicar deportes acuáticos.

9 Liptovský Mikuláš, estadio para deportes acuáticos.

10 Praga, capital de la República de Checoslovaquia y una de las más bellas metrópolis europeas. Sus barrios antiguos; sobre todo, Staré Město (Ciudad Vieja) con el barrio Josefov; Malá Strana (Barrio Pequeño) con Hradčany (Castillo) abarcan 16 conjuntos arquitectónicos y edificios de valor artístico-histórico, que se cuentan entre los más destacados monumentos de la cultura nacional (véanse 11, 13–17, 21). De entre ellos sobresale el templo barroco de San Nicolás de Malá Strana construido entre los años de 1704 a 1755 por Kryštof y Kilián Ignác Dientzenhofer y Anselmo Lurago.

11 Desde fines del siglo IX los soberanos checos eran coronados en el Castillo de Praga que les servía de sede. El Castillo alcanzó su auge en la época del reino de Carlos IV, Vladislao Jagiello y Rodolfo II. Después de la Primera Guerra Mundial se realizaron en él reconstrucciones y adaptaciones y empezó una exploración arqueológica.

12 Praga, el estadio de natación en Podolí fue construido en el período de 1959 a 1965 y se compone de 3 piscinas, sala de gimnasia, campo de deportes, playa, etc.

13 Teatro Nacional, fue construido entre 1868 y 1883 a base de donaciones y recolectas por toda la nación. Después de su apertura en 1881 ardió en llamas, sin embargo inmediatamente fue reedificado. En 1983 se terminó la reconstrucción general y se levantó al lado del edificio histórico, la Escena Nueva.

14–17 Plaza de la Ciudad Vieja en Praga. A fines del siglo X se formó en su territorio un mercado y fue más tarde el centro de la población citadina. Desde la mitad del siglo XIV se construyó a su lado el Templo de Nuestra Señora de Týn con dos torres gemelas de 80 m de altura. La parte más vieja del conjunto de los edificios de la alcaldía proviene de la mitad del siglo XIV, el primer orologio en la torre gótica fue construido en 1410. La iglesia de San Nicolás de la Ciudad Vieja, levantada en los años de 1732 a 1735 por Kilián Ignác Dientzenhofer. Monumento al Maestro Jan Hus, quemado en Constanza en 1415, es la obra que Ladislav Šaloun hizo de 1902 a 1905. Palacio de Goltz-Kinský fue edificado de 1755 a 1765 por Anselmo Lurago y hoy día sirve de depositario de las colecciones de gráficas de la Galería Nacional.

18 Tejados praguenses.

19 En 1988 se acabó la construcción del moderno hotel Forum.

20 Praga, Štvanice; hoy día la central de canchas de tenis fue originalmente edificada de 1930 a 1932 y en los últimos años reconstruida.

21 Staré Město se conecta con Malá Strana por medio del Puente de Carlos, una obra de Petr Parléř, cuya construcción se empezó en 1357 y mucho más tarde el puente fue adornado con esculturas de F. M. Brokoff, M. B. Braun y demás escultores.

22 Praga al pie de Barrandov, parte Meridional de la ciudad, que lleva ese nombre en memoria de Joachim Barrande (1799–1883), geólogo francés que se dedicó al estudio del paleozóico checo.

23 Mělník, cabeza de partido, al Norte de Praga, elevada en la confluencia del río Elba con el Vltava. Aquí ya en el siglo X existía un castillo principesco, que fue reconstruido en el Renacimiento y después a principios del siglo XVIII. Una exposición del arte barroco checo.

24 País en el centro de Bohemia.

25 Konopiště, vista del castillo desde la rosaleda. A fines del siglo XIX este castillo, proveniente del gótico temprano, adquirió su imagen romanticista. Posee colecciones de armas históricos. En su derredor se extiende el parque inglés con la rosaleda y numerosas esculturas importadas de Italia.

26 Kutná Hora. En el siglo XIV y XV fue la segunda ciudad en Bohemia debido a la extracción de plata. La catedral de Santa Barbara se empezó a construir en 1388 y con una larga interrupción su construcción terminó a principios del siglo XX (véase 29).

27, 28 Al lado de Čerčany.

29 Kutná Hora, vista general de la actual cabeza de partido, cuyo núcleo forma la reserva de monumentos municipales: Vlašský dvůr (Patio italiano), Kámenný dům (Casa de piedra), una serie de edificios dedicados al culto eclesiástico, especialmente barrocos (véase 26).

30 A principios del siglo XII Křivoklát, un castillo de caza para los príncipes checos, fue edificado de madera en los bosques de la Bohemia Central. Adquirió el aspecto gótico en el siglo XIII; desde fines del siglo XIX fue reconstruido. En la toma, un grupo de esgrima histórica.

31 Al lado de Konopiště (véase 25).

32 Český Šternberk, un castillo originalmente gótico en la ladera del río Sázava. Fue edificado cerca del año 1240 y más tarde, varias veces reconstruido. Los interiores tienen mobiliario antiguo. Una colección de grabados de la época de la Guerra de Treinta Años.

33 Bohemia Meridional (véanse 34—47) atrae a los visitantes no sólo por las ciudades, castillos y palacios antiguos sino también por la región típica con numerosos estanques. La imagen actual del castillo Hluboká proviene de los años 1841 a 1871 y su estilo se llama Windsor. El castillo conserva ricos interiores, la biblioteca y la sala de equitación en la que está montada una exposición del arte gótico de la Bohemia Meridional.

34 En 1511 fue fundado el estanque Horusický rybník, cerca de Veselí nad Lužnicí, por extensión, el tercero en Bohemia (416 ha). Parte de sus orillas forma un tremedal y hoy día es considerado reserva de riquezas naturales y lleva el nombre Ruda.

35 El estanque Veľký Tisý (317 ha) al Noroeste de Třeboň fue terminado en 1505. Actualmente es una reserva de riquezas naturales y lugar donde anidan aves acuáticas.

36 Vltava visto en un lugar entre la ciudad Český Krumlov (véase 42) y el castillo Rožmberk.

37 Tábor. En 1420 el pueblo husita de Jan Žižka fundó, en el promontorio arriba del río Lužnice, una ciudad fortificada. Ésta, en el curso del siglo XVI, fue reconstruida en estilo renacentista. Actualmente es una reserva municipal de monumentos.

38 El embalse de Lipno en el distrito de Český Krumlov representa el primer nivel de la llamada Cascada del Vltava (véase 43). La presa fue construida de 1950 a 1959, su superficie es de casi 50 km² y altura de 720 m. Sirve como central hidroeléctrica subterránea y para el recreo.

39 Frymburk es una ciudad antigua y a la vez centro de recreo a orillas del embalse de Lipno. La iglesia en estilo gótico tardío fue construida alrededor del año 1530.

40 Český Krumlov, cabeza de distrito y reserva municipal de monumentos más importante en Bohemia Meridional. Un espacioso castillo renacentista y extensos conglomerados de casas históricas (Latrán).

41 České Budějovice, capital de provincia con una plaza mayor cuadrangular con soportales de las casas históricas. En una esquina de la plaza se encuentra Černá věž (Torre negra) de estilo gótico renacentista que data de los años 1549—1578, mide 72 m de altura. La alcaldía, originalmente renacentista, fue reconstruida en estilo barroco entre los años 1727 y 1730. De la misma época proviene la Fuente de Sansón.

42 Rožmberk sobre el Vltava, un castillo con la torre Jakobínka del gótico temprano y Dolní hrad (Castillo de más abajo) edificado más tarde. A mediados del siglo XIX fue reconstruido. Posee interiores de la época y una galería de cuadros barrocos.

43 Čertovy proudy (Corrientes del diablo) en el río Vltava, es un cañón rocoso acantilado que en actualidad lleva poca agua puesto que la mayor parte va por un túnel subterráneo hacia la central hidroeléctrica que está antes de Vyšší Brod.

44 La más atractiva época del año en la Bohemia Meridional es la de la pesca durante el vaciado de los estanques. Rožmberk (489 ha) fue construido en el río Lužnice y es el más grande estanque de Bohemia.

45 El estanque Dehtář (246 ha) se encuentra al Noroeste de České Budějovice.

46 Al lado de Tábor (véase 37).

47 Orlík sobre el Vltava, castillo real de siglo XIII, actualmente renacentista, fue reconstruido en el siglo XIX. En el segundo piso se encuentran valiosas salas para ceremonias.

48 País al pie de la sierra Šumava. Colinas abajo de Šumava y sobre todo la sierra misma de Šumava, de 125 km de largo que hace frontera con la RFA y Austria, es de las regiones turísticas más buscadas en Bohemia (véanse 49—52).

49 Šumava. La pista de Špičák (1.202 m) para deslizarse con esquís está en la zona de recreo en los alrededores de Železná Ruda, que consta de dos lagos: Černé, y Čertovo jezero y una montaña, Pancíř.

50 Río Vydra en Šumava. El Vydra, turbulento recorre 22 km entre montañas sobre un lecho rocoso con mesas glaciares. Atraviesa una reserva de riquezas naturales.

51 Zadov-Churáňov (1.050 m), centro de deportes invernales, es propio para el turismo de esquís y para carreras de esquís.

52 Pancíř (1.314 m), es una montaña situada al Noroeste de Železná Ruda con su mirador y teleférico. El chalet turístico es de 1923.

53 Krušné hory, Klínovec. La serranía Krušné hory de 130 km de largo hace la frontera Noroeste entre Bohemia y la RDA. Los bosques locales están seriamente dañados por las emanaciones industriales. La montaña más alta, Klínovec (1.244 m), es un centro popular para turismo y esquí.

54 Una de las crestas típicas para Krušné hory se levanta entre la vieja ciudad minera (actualmente balneario) Jáchymov y la población de Abertamy.

55 Františkovy Lázně: Es un balneario en el saledizo Occidental de Bohemia que fue fundado a fines del siglo XVIII y por su disposición es considerado clasicista; constituye una reserva municipal de monumentos.

56 Mariánské Lázně es un balneario fundado en 1805 y sirve, sobre todo, para recreo a los sindicatos (ROH). Capta nuestra atención la columnata de hierro fundido de 1889 y fuente Křížový pramen.

57 Loket, una fortaleza medieval y ciudad real sobre el río Ohře. El castillo se menciona en el año 1239.

58 Karlovy Vary, es el más importante balneario checo, fundado por Carlos IV en la mitad del siglo XIV. El balneario alcanzó su auge en la segunda mitad del siglo XIX. Se tratan las enfermedades del tracto digestivo.

59 Karlovy Vary de los últimos decenios está caracterizado por el conjunto de balnearios, Thermal, (en la foto) y la Columnata de Gagarin.

60 Plzeň. La alcaldía de esta capital de provincia de Bohemia Occidental es renacentista (1554—1558), fue renovada a principios del siglo XX.

61 En la Edad Media Cheb llegó a ser una de las ciudades más importantes de Bohemia. En la plaza Jiřího z Poděbrad (Jorge de Poděbrady) se encuentra un conglomerado de once casas de mercaderes llamado Špalíček que data de la época del principio del siglo XV. El casco citadino de monumentos es el núcleo de la ciudad.

62 Děčín, cabeza de partido, es una ciudad industrial en el río Elba no muy lejos de la frontera con la RDA. Su rasgo dominante es un castillo renacentista y barroco con una rosaleda. Originalmente fue un castillo real románico de los Premyslidas.

63 Al lado de Hřensko. Las bellezas naturales de la llamada Suiza checosajona atraían a los turistas ya a principios del siglo XIX. Entre sus bellezas se cuentan las cañadas del río Kamenice, cuyas partes más hermosas fueron dispuestas para llegar a ellas en barco y pasear por las galerías.

64 Pravčická brána (Puerta de Pravčice), al Oriente de Hřensko, es un puente natural bizarro de piedra arenisca cuyo ojo mide 30 m de ancho y 20 m de alto.

65 Jablonec nad Nisou, cabeza de partido en el costado Meridional de la sierra Jizerské hory, es famosa por la fabricación de bisutería (hay también un museo.) Desde fines del siglo XVI sostiene la tradición de fabricación de vidrio.

66 Bedřichov en Jizerské hory (707 m) es un pueblo con tradición vidriera y actualmente un centro de recreo.

67 Aquí brota un manantial de agua potable. Un motivo de los bosques de Jizerské hory, seriamente dañados por emanaciones.

68 Jizerská padesátka (carrera de esquís de 50 km) en memoria de la expedición de Perú. Es la más concurrida carrera de esquís en la república, participan en ella cerca de 7.000 corredores (hombres, 50 km; mujeres, 20 km).

69 A principios de los años setenta, en la cima de Ještěd (1.012 m) al Sur de Liberec, se construyó la torre de televisión de 100 m de altura, y en ella un hotel.

70 Hazmburk, ruinas del castillo gótico en la parte Meridional de los cerros de České středohoří con vista en derredor. Reserva de riquezas naturales.

71 En los últimos decenios los cisnes enriquecieron la fauna checa.

72 Říp (456 m), cerro legendario al Norte de Praga, al pie del cual, según la leyenda, se asentó el padre legendario Čech con su pueblo. El cerro domina la cuenca del Elba. En su cima se encuentra una rotonda románica del año 1126. A partir de 1848 se celebraron aquí muchas asambleas populares importantes.

73, 74 Por encima de České středohoří. Las corrientes favorables de aire atraen a la región a los Ícaros modernos.

75 Krkonoše, cerranía al Norte de Bohemia, único parque nacional checo (véanse 76–79), en la época actual está seriamente amenazado por las emanaciones industriales. En la parte Occidental de la cresta fronteriza se conservó el que fue originalmente chale montañés Dvořačky, que ofrece una vista preciosa hacia el Sur.

76 Crestas invernales de Krkonoše.

77 Pec pod Sněžkou (Horno abajo de Sněžka, 769 m) es un pueblo montañés, centro deportivo de la parte Oriental de Krkonoše. El nombre del pueblo se derivó de los altos hornos para fundición de metales (siglo XVI–XIX).

78 Špindlerův Mlýn (718 m), ciudad montañosa, centro deportivo de la parte central de Krkonoše. Pueblo minero Svatý Petr (San Pedro) se menciona ya a principios del siglo XVI. Actualmente tiene un estadio y pistas de esquiar.

79 Harrachov (686 m), ciudad montañosa, centro deportivo en el costado Occidental de Krkonoše. Famosa por sus pistas de salto y también por las tradiciones vidrieras.

80 Hradec Králové, capital de provincia en Bohemia Oriental. En la plaza Žižkovo náměstí destaca la catedral gótica sv. Ducha (del Espíritu Santo) que data del siglo XIV y a su lado la alta Bílá věž (Torre blanca) de 68 m de altura, una construcción gótico-renacentista de piedra arenisca proveniente de fines del siglo XVI.

81 En la región al pie de Krkonoše y de Orlické hory en Bohemia encontramos arquitectura popular: conjuntos homogéneos de los edificios rústicos.

82 Litomyšl, ciudad en Bohemia Oriental, con un casco histórico protegido. Llaman la atención en especial la plaza mayor alargada y el castillo renacentista.

83 Trosky señorea sobre el paisaje y forma parte inseparable del panorama de Český ráj (Paraíso checo): ruinas del castillo de la segunda mitad del siglo XIV que fue construido sobre dos cimas de roca volcánica de basalto: Panna y Baba. Desde ahí en derredor se ve el país.

84 Prachovské skály: formaciones naturales de piedra arenisca que semejan una ciudad de roca, en el Noreste de Bohemia. Se originó por la erosión de los sedimentos arrenicos de lo que fue mar. Es atractiva para los turistas y alpinistas.

85 Rozkoš, una presa (10 km^2) en el Noreste de Bohemia, al lado de Náchod. Sirve para irrigación y deportes acuáticos.

86 Velká pardubická, hipódromo donde se llevaban a cabo carreras desde el 1846. Actualmente en el trayecto de 6.900 m hay 39 vallas de obstáculo (el famoso foso de Taxis). Una de las pistas hípicas más exigentes en el continente de Europa.

87 Brno, capital de provincia en Moravia Meridional, es una metrópoli industrial y cultural (véanse 88–90). En la primera foto el dique de Brno.

88 El área de exposiciones de Brno adquirió su primera faz en el año 1928. Hoy día se llevan allí a cabo regularmente exposiciones internacionales (de maquinaria, de mercancía de consumo, etc.).

89 Brno, Petrov. La iglesia sv. Petra a Pavla (de San Pedro y San Pablo) en el cerro de Petrov recibió su aspecto neogótico en los años 1880–1910.

90 Brno, una plaza en el centro de la ciudad, en la que se erige la barroca fuente Parnas, levantada en los años de 1693 a 1695.

91 La presa de Vír sobre el río Svratka al Noroeste de Brno, fue construida en los años de 1947 a 1957. Sirve como recurso de agua potable.

92 Macocha (Madrastra), en el Moravský Kras (Carst moravo), es un abismo de 138 m de profundidad que se puede observar desde el balcón superior. Las grutas que desembocan en la sima tienen estalactitas y estalagmitas y el visitante puede llegar a ellas por el río Punkva, en bote.

93 Telč. La plaza mayor de esta reserva municipal de monumentos crea un conjunto único de casas góticas, renacentistas y barrocas.

94 Českomoravská vysočina. Una parte del pueblo de Vysočina en los cerros es Veselý Kopec, actualmente conservado como museo de la arquitectura etnográfica al aire libre (escanzen).

95 Kroměříž, cabeza de partido con un castillo barroco, es una reserva municipal de monumentos. Un jardín de flores del barroco temprano en estilo francés. Su columnata tiene un pabellón central.

96 Náměšť nad Oslavou, un castillo renacentista reconstruido en estilo barroco. Sus interiores atesoran tapicerías preciosas. En el parque del castillo se encuentran robles seculares.

97 Olomouc, cabeza de partido, una reserva municipal de monumentos. En Náměstí Míru (Plaza de la Paz) se hallan la vieja alcaldía con el orologio y un grupo monumental de estatuas barrocas.

98 Kopeček, pueblo al Noreste de Olomouc, actualmente forma una parte de la ciudad. A fines del siglo XVII fue construida en una sitación predominante una iglesia de peregrinación que más tarde fue restaurada.

99 Jeseníky, una vasta serranía al Noroeste de Moravia (véanse 100, 102). Petrovy kameny son restos de las rocas cimeras en la parte central más alta de la cresta. Este lugar está ligado a leyendas de brujas.

100 Jeseníky. El valle del río Bílá Opava, con los saltos de agua crea una interesante reserva de las riquezas naturales.

101 Moravia Septentrional.

102 Jeseníky, Praděd (1.492 m), la montaña más alta en Hrubý Jeseník y a la vez en toda Moravia. La emisora de televisión y un mirador.

103 El invierno bajo de los Javorníky, cuya cresta forma una parte de la frontera entre la República Checa y República Eslovaca. La montaña más alta es Javorník (1.071 m).

104 Moravskoslezské Beskydy, una serranía accidentada al Noreste de Moravia. La montaña más alta es Lysá hora (1.324 m). Pustevny (1.018 m) con sus típicos chales montañeses.

105 Desde el puerto de Bumbálka está captado el panorama de Beskydy, con la montaña Radhošť (1.129 m), en cuya cima fue levantada una capilla sv. Cyrila a Metoděje (San Cirilo y San Metodio).

106, 107 Rožnov pod Radhoštěm, Museo de la región de Valašsko al aire libre. En el año de 1925 en Rožnov, típica ciudad de Valašsko fue fundado un escanzen. Actualmente se halla en la ciudad la industria electrónica.

108 Napajedla, el potrero. En esta ciudad, en el corazón de Moravia, fue fundado en 1822 un potrero donde se siguen críando los caballos ingleses de pura sangre.

109 Buchlovice. Ciudad en el Sur de Moravia con el castillo barroco del siglo XVII, en cuyo derredor más tarde fue plantado un parque extenso.

110 Jízda králů (Cabalgata de los reyes) en la región de Slovácko, Moravia. Las aldeas en Moravia Sureste conservaron los costumbres folklóricas y una rica indumentaria popular. En Strážnice se celebran cada año las más grandes fiestas etnográficas.

111 Bítov, un castillo fuerte, por arriba de la presa de Vranov, fue levantado en el siglo XI y XII. En él dejaron su huella todos los estilos arquitectónicos, su aspecto actual es neogótico.

112 Vranov, un castillo barroco erguido en lo alto del río Dyje, originalmente fue construido en las postrimerías del siglo XI. El oblongo edificio central guarda la llamada sala de los antepasados.

113 Un molino cerca de Vranov. En Moravia Meridional se conservaron los molinos de viento, de mampostería en su mayoría de un tipo holandés.

114, 115 Lednice. El castillo de Lednice adquirió su aspecto actual neogótico en la mitad del siglo XIX. El castillo guarda ricos trabajos de tallista, colecciones de armas, de porcelana y de trofeos de caza. A principios del siglo XIX fue arreglado el parque en estilo romántico con construcciones y estanques.

116 Bratislava. La capital de la República de Eslovaquia es un centro político, económico, cultural, escolar, científico y deportivo. El núcleo histórico incluye 359 edificios preciosos que fueron declarados protegidos como reserva municipal de monumentos. Nuevos valores crecieron aledaños al núcleo antiguo: bastiones de las fábricas, altos edificios multifamiliares, campos de deporte, todo esto representa la moderna faz de la metrópoli nacional. En la fotografía, la fuente de cascadas Družba. En el centro de la fuente figura una flor de tilo con diámetro de 9 m y peso de 12 Tm, colocada sobre un pilar en medio de una alberca circular con diámetro de 45 m.

117 Bratislava. El puente colgante de acero − Most Slovenského národného povstania (Puente de la Insurrección Nacional Eslovaca), tiene dos niveles, y un pilón inclinado que remata una cafetería-mirador: Bystrica.

118 Bratislava. El hotel Kyjev y los almacenes Prior en la plaza Kyjevské námestie forman un conjunto en una de las plazas principales del centro comercial y social de la ciudad.

119 Bratislava. Panorama nocturno con el Castillo, monumento nacional de la cultura.

120 Bratislava. Del sistema de la fortificación citadina la más conservada es la parte de la muralla conectada a Michalská brána (Torre de Miguel) que proviene del siglo XIV y es el más importante resto de la fortificación medieval. En la torre se encuentra actualmente una exposición del Museo municipal.

121 Bratislava. Vista tal como se imprime en el recuerdo de todos visitantes: con el Castillo, la catedral sv. Martin (de San Martín), el Danubio y el puente Most Slovenského národného povstania.

122 Bratislava. Vista de la plaza que está delimitada por bloques de edificios: el uno, barroco; los demás tres, contemporáneos. En su centro destaca la fuente Družba.

123 Bratislava. En la ribera del Danubio se extiende el barrio de multifamiliares más grande, Petržalka, donde en el curso de los últimos quince años casi 150 000 habitantes encontraron su hogar.

124 Devín. Ruinas del castillo erigido arriba de la confluencia de los ríos Morava y Danubio. Desde la época de la Gran Moravia fue la fortaleza más importante en la frontera del estado. Monumento nacional de cultura.

125, 126 Piešťany. En el valle del río Váh es un balneario de fama mundial donde se tratan enfermedades del aparato motriz. En la foto se ven el ámbito de la casa de cura con balneario, "Balnea Grand", situado en la isla Kúpeľný ostrov y el puente Kolonádový most.

127 Trenčianske Teplice. Sala Hamman para mudarse de ropa en la casa del balneario Sina que está en el área de los renombrados baños, en Strážovské vrchy. Se tratan enfermedades del aparato motriz sobre todo.

128 Nitra. El castillo fue construido originalmente como una fortaleza eslava en la época de la Gran Moravia. El aspecto actual se debe a las actividades artísticas constructivas de muchos siglos. Es un monumento nacional de cultura.

129 El castillo Bojnice funcionó como centro de las propiedades reales en la región superior de Nitra. Se menciona en las fuentes históricas por vez primera en el año de 1113. Fue reconstruida a principios de nuestro siglo. Monumento nacional de cultura.

130 Los cronistas mencionan el castillo de Trenčín ya en el siglo XI y a principios del siglo XIV fue sede del gran señor feudal, Matúš Čák Trenčiansky que desde allí dominaba casi todo el territorio de Eslovaquia. Monumento nacional de cultura.

131 Vršatec. Ruinas del castillo en la sierra Biele Karpaty (Cárpatos Blancos), cerros exteriores de los Cárpatos Occidentales en la frontera de Eslovaquia y Moravia. Pertenecía al sistema de los castillos reales de guardia.

132 Beckov. Ruinas del castillo, que en el siglo XII fue erigido en la frontera como una fortaleza al pie de la sierra Považský Inovec. En el año 1599 con éxito hizo frente a la invasión de turcos. Monumento nacional de la cultura.

133 Martin. Una vista tomada desde el área de la arquitectura popular al aire libre que se está construyendo en la superficie de 100 ha. En él, con 240 estancias, quedará representada la arquitectura rústica de todas las regiones de Eslovaquia.

134 Martin. La estatua simboliza a Matica slovenská, que es una institución tradicional formada por la Biblioteca Nacional, Biblioteca Central, Bibliografía y Biografía Nacional, conserva las más valiosas colecciones nacionales y su sede está en Hostihora.

135 Banská Bystrica. Surgió como una ciudad real y minera y a fines de la Segunda Guerra Mundial fue el foco de la Insurrección Eslovaca Nacional. En la actualidad se concentra allí la vida política, económica y cultural de la provincia de Eslovaquia Central. El núcleo histórico está formado por una reserva municipal de monumentos.

136 Zvolen. Panorama de la ciudad con el castillo. Éste fue construido en el siglo XIV como una residencia real veraniega. En la actualidad, después de su reconstrucción, sirve como depositario y exposición de obras artísticas de la Galería Nacional Eslovaca. Es monumento de la cultura nacional.

137 Banská Štiavnica. Es una ciudad antigua que se extiende de una manera pintoresca en las laderas de los cerros Štiavnické vrchy y se cuenta como una de entre las ciudades importantes mineras de Europa. Se menciona, en relación a la minería, en documentos del año 1075. El núcleo histórico constituye reserva municipal de monumentos.

138 Kremnica. Una antigua ciudad minera donde se acuñaban monedas. Construida en terrazas sobre las faldas de los cerros Kremnické vrchy, es dominada por el conjunto del castillo municipal (siglo XIV−XV). Su núcleo histórico es reserva municipal de monumentos.

139 Kraľovany. En la confluencia de los ríos Orava y Váh se halla el pueblo que es crucero de los caminos que llevan a las sierras Veľká Fatra (Grande Fatra) y Malá Fatra (Pequeña Fatra).

140 Terchová. En la aldea, que es una localidad etnográfica sobresaliente y a la vez el centro del turismo en la parte Septentrional de Malá Fatra, destaca la estatua del bandolero legendario Juraj Jánošík, oriundo de Terchová.

141−143 Vrátna dolina. Uno de los valles más bellos de Eslovaquia, es un centro turístico y de esquiadores de fama internacional en el parque nacional de Malá Fatra. En la toma el cañón estrecho del Tiesňavy que es la entrada al valle y Veľký Rozsutec, una montaña pintoresca que se erige a la altura de 1.610 m rematando la aldea Štefanová y una de las bizarras formaciones rocosas que se llama Mních (Monje)

144 Orava. Embalse al pie de la sierra Oravská Magura alcanza la superficie de 35 km^2. Terminó de construirse en el año 1953 y paulatinamente se convirtió en una región ideal de recreo veraniego.

145 Orava. El castillo se yergue en la roca de 112 m por arriba de la superficie de la presa. Por primera vez se mencionó en los documentos del año 1267. En tres terrazas de la roca están los edificios del castillo reunidos por el sistema de murallas y bastiones. Es monumento de la cultura nacional. En la actualidad, después de haber sido renovado, sirve, en parte, para museo de historia y geografía nacionales.

146, 147 Liptovská Mara. Embalse en el valle al pie de las Tatras Occidentales, con la extensión de casi 27 km^2, permite aprovechar mejor la hidroenergía en 15 sucesivas centrales hidroeléctricas sobre el río Váh. En su litoral Septentrional proliferaron centros de deportes acuáticos y de recreo.

148 Veľká Fatra. Desde el punto de vista turístico se cuenta entre las sierras más importantes de Eslovaquia debido a sus excelentes terrenos para el descenso con esquís especialmente en los alrededores del pueblo montañés Donovaly. Es una reserva protegida de riquezas naturales con extensión de 606 km^2.

149−151 Tatras Occidentales. Por altura es la segunda sierra en Checoslovaquia con una característica cresta tortuosa de 35 km de largo, con varias cimas de altura mayor de 2.000 m. Esta cordillera pertenece al Parque Nacional de Tatras. En las fotografías se muestran panoramas de la sierra, el característico pueblo Liptovský Trnovec y el encuentro con la gamuza de Tatras (rupicapra rupicapra tatrica) abajo de Bystrá, que con sus 2.248 m es la cima más alta de la sierra.

152 Demänovské jaskyne (Grutas de Demänová). En la parte Septentrional de las Tatras Bajas se encuentra el conjunto más vasto de las grutas en Checoslovaquia, de las cuales alcanzó fama internacional Demänovská jaskyňa Slobody, que es la más rica en decoración de estalactitas y estalagmitas. Ésta forma un laberinto de varios pisos que se componen de pasillos y salas con longitud total de 7 km.

153−155 Tatras Bajas. Un paisaje montañés, territorio protegido en la región de Fatra-Tatra que cuenta una superficie de 811 km^2 y es valioso desde el punto de vista cultural, científico, de economía hidráulica, sanidad, turismo y de recreo, con los mejores terrenos en Checoslovaquia para deslizarse con esquís, especialmente en la región de Chopok (2.024 m). En las fotos aparece su parte Meridional por encima del valle de Bystrická dolina y dos vistas del paraíso de los esquiadores en su parte Septentrional por encima del valle de Demänovská dolina.

156 Altas Tatras. La sierra más alta de Checoslovaquia y a la vez la región más importante de turismo, ofrece buenas condiciones para el turismo montañés, alpinismo, esquí clásico y de deslizar, y para el recreo y tratamiento médico climático. Zona protegida declarada parque nacional con la superficie de 510 km². Estas son las únicas montañas altas en Checoslovaquia; el pico más alto es Gerlachovský štít (2.655 m). En la foto el panorama de la sierra con el pueblo Štrba, punto de partida hacia la parte Occidental de las Altas Tatras.

157 Altas Tatras. Antaño la llamaban Ded (Abuelo) y la consideraban como la montaña más alta. Lomnický štít (2.632 m) después de la construcción del teleférico es la cima más frecuentada de las Tatras.

158, 159 Altas Tatras. Končiare en espera del invierno. Rysy es una montaña en la frontera checo-polaca (2.499 m).

160, 163 Altas Tatras. Dos vistas de la región de cuentos de hadas: cesta Slobody (Camino de la Libertad) es una comunicación importante que une a todos los pueblos de las Tatras y el espectáculo pastoral bajo las Tatras.

161, 162 Belianske Tatry (Tatras de Belá). Parte de las Tatras Orientales en el sistema de los Cárpatos Occidentales Interiores que pertenece al Parque Nacional de Tatras. Montaña Ždiarska vidla (2.152 m) en la parte Occidental de la cresta principal de longitud de 14 km, se yergue encima del típico pueblo Ždiar. Las fotografías muestran el panorama de la sierra al anochecer y el centro de la aldea, que era originalmente de leñadores y que actualmente es un centro para alojamiento de los turistas.

164 Las montañas Pieniny en la región de Východné Beskydy (Beskydy Orientales) están cortadas por el río montañés Dunajec. Esta región, con la superficie de 21 km², constituye un territorio protegido. En la foto, los peñascos Tri Koruny en territorio polaco. El río Dunajec es la arteria principal del Parque nacional de Pieniny, y en su curso de 17 km forma la frontera checoslovaco-polaca.

165 Levoča. Ciudad al pie de los cerros Levočské vrchy. La iglesia Jakub (Santiago) con el altar del famoso tallista Majster Pavol es monumento nacional de la cultura. El núcleo histórico fue declarado reserva de monumentos municipales.

166 Spišské Podhradie. Ciudad pequeña en la hoya Hornádska kotlina en el plano superior con las ruinas del Castillo de Spiš (Spišský hrad), monumento nacional de la cultura, uno de los castillos más vastos en el centro de Europa y el más grande de Checoslovaquia, por primera vez mencionado en el año de 1209. Una parte de la ciudad, Spišská Kapitula es reserva municipal de monumentos.

167 Slovenský raj (Paraíso eslovaco) es una región del Spišsko-gemerský kras (Carst de Spiš y Gemer), zona protegida declarada parque nacional con la superficie de 141 km². Sus profundos y estrechos cañones y quebradas, cavidades y manantiales, planicies y grutas junto con la rica flora y fauna que posee, son únicos, y desde el punto de vista del turismo sumamente atractivos.

168 Bardejovské Kúpele. Los manantiales de agua termal se conocían ya desde el siglo XIII. Rodeados por árboles coníferos, en los cerros de Ondavská vrchovina están los baños curativos climáticos donde se tratan las enfermedades del tracto digestivo y de las vías respiratorias.

169 Svidník. Esta ciudad es memorable por la operación militar de la II Guerra Mundial en Cárpatos y Dukla, lugar en el que se protagonizó la más grande y encarnizada batalla en el territorio de Checoslovaquia. Descuella el monumento al lado del museo militar al aire libre en Dukla, es monumento nacional de la cultura y Museo de la Cultura Ucraniana.

170 Prešov. Ciudad al pie de los cerros Šarišská vrchovina. En el año 1919 fue aquí proclamada Slovenská republika rád (La República Eslovaca de los Soviets) que fue el primer estado de la dictadura del proletariado en Checoslovaquia. Nuestra foto proviene del núcleo histórico declarado reserva municipal de monumentos.

171 Zemplínska šírava. El embalse al pie de los cerros de Vihorlat tiene una superficie acuática de 33,5 km² y es un centro estatal e internacional de recreo.

172, 173 Košice. Centro político, económico, cultural, escolar y científico de la provincia del Oriente de Eslovaquia. Aquí, en abril de 1945 fue proclamado el programa del primer gobierno del Frente Nacional de Checos y Eslovacos que se conoce bajo el nombre de Programa del Gobierno de Košice. En las fotografías el panorama de la ciudad con nuevos edificios y la catedral de sv. Alžbeta (Santa Isabel), la iglesia más importante y más grande de estilo gótico en Eslovaquia. Monumento nacional de cultura.

174, 175 En cualquier lugar. Dos símbolos de vida, su hermosura y su duración.

Československo

OLDŘICH KARÁSEK

Uspořádali Otakar Mohyla a Vladimír Babnič
Úvod napsal Josef Brukner
Obálku a vazbu navrhl a knihu graficky upravil Miloslav Fulín
Lektoroval národní umělec Vladimír Mináč
Do tisku zadáno v dubnu 1989, stránkové korektury v únoru 1990
Přeložili: do ruštiny Stanislav Hýnar, do němčiny Valter Kraus, do angličtiny Joy
Kadečková, do francouzštiny Václav Černý, do španělštiny dr. Enrique Roldán
Jako koediční titul vydalo nakladatelství Olympia, Praha, a Šport, slovenské
telovýchovné vydavateľstvo,Bratislava, roku 1990 jako svoje 2 503. a 1 226.
publikace
První vydání, 223 stran a 175 barevných snímků
Odpovědní redaktoři Otakar Mohyla a Vladimír Babnič
Vytiskly Tlačiarne Slovenského národného povstania, štátny podnik,
závod Neografia, nositeľ Radu republiky, Martin
Tematická skupina 09/18, AA 64,30, VA 65,10
Náklad 40 000 výtisků pro Olympii, 40 000 výtisků pro Šport

401/22/858
27-029-90

Cena vázaného výtisku 160 Kčs